MW00824896

CÓMO CALCULAR UN PRESUPUESTO DE OBRA DESDE CERO

Arq. Carlos Hidalgo P.

CÓMO CALCULAR UN PRESUPUESTO DE OBRA DESDE CERO

El análisis de precios unitarios aplicado a los costos en la construcción

SEGUNDA EDICIÓN

EDITORIAL
LETRA MINÚSCULA

Segunda edición: septiembre de 2021
ISBN: 978-84-18447-49-5
Copyright © 2020 Carlos Hernán Hidalgo Palma
Editado por Editorial Letra Minúscula
www.letraminuscula.com
contacto@letraminuscula.com

Índice

9

Prólogo

Imagina que un cliente te contrata para construir su vivienda, tu alistas la planimetría y los permisos correspondientes, pero ¿sabes cuánto costará construir el proyecto? Y, tan importante como lo anterior ¿cuánto debes cobrar para obtener una ganancia por tus servicios profesionales?

Si no tienes claras tus respuestas, es mejor que analices con cuidado las escalofriantes cifras que evidencian que, el 33% de los emprendimientos, cierran sus operaciones durante su primer año de actividad debido a problemas financieros, y, de los supervivientes, el 65% de empresas mueren antes de su quinto aniversario en México según el Instituto de Emprendimiento Eugenio Garza Lagüera y el Instituto Nacional de Estadística y Geografía. ¿Cómo podemos evitar ser parte de estas nefastas estadísticas?

La única manera de calcular los costos de un proyecto de construcción será mediante el análisis presupuestario ejecutado de manera profesional. Debemos tener en cuenta que, las cantidades de dinero que se destinan para la ejecución de una obra son altas, por lo que, cualquier variación porcentual, representará una suma que podría comprometer la rentabilidad del proyecto entero. Por esto, debes conocer una metodología que te permita calcular un presu-puesto de obra de forma segura.

En este libro aprenderás, de manera detallada, el procedimiento que te permitirá elaborar un presupuesto por completo, de manera que puedas ejercer tu actividad como constructor y presupuestador, con la seguridad de que los valores calculados correspondan a la realidad de los gastos que se presentarán durante la ejecución de las obras, para así conseguir que tu labor profesional sea rentable y sostenible en el largo plazo.

Una vez comprendidos ciertos conceptos esenciales, estarás en la capacidad de ejecutar un estudio de costos modificando simplemente los correspondientes parámetros de tus análisis, lo cual te permitirá presupuestar cualquier proyecto y te concederá una extrema versati-lidad en el mercado laboral.

¿Conoces a algún constructor que, a pesar de sus años de trabajo, no logra progresar con su carrera profesional? Si bien existen técni-cos con amplia experiencia en la ejecución de obras de construcción, debemos considerar que esto no los volverá unos expertos en análisis de costos. Es común encontrarse con constructores que realizan pre-supuestos de manera empírica, que sin siquiera darse cuenta, pierden dinero con cada cliente; esto los coloca en una situación insostenible tanto financiera como legal.

Por contraparte, el constructor que dispone de los conocimien-tos necesarios para realizar un correcto estudio de costos está en la capacidad de negociar tanto con sus proveedores como con sus clientes, lo cual le permite optimizar sus proformas para así ser más ompetitivo en el mercado, pero sin renunciar a los beneficios que le ermitirán continuar con su actividad profesional.

A lo largo de esta obra, estudiaremos la metodología del Análisis e Precios Unitarios a detalle, empezando desde los conceptos bási- os hasta abordar todos los elementos y componentes que conforman n estudio de costos, explicándolos de manera sencilla y empleando jemplos prácticos, con lo cual, incluso los profesionales jóvenes, ue apenas están iniciándose en la industria de la construcción, po- rán comprenderlos y aplicarlos de inmediato.

Capítulo 1. Introducción

Antes de iniciar la construcción de un proyecto, es necesario realizar los estudios planimétricos y presupuestarios correspondientes que nos permitan planificar apropiadamente la ejecución de las obras. Es este último, el análisis presupuestario, el mecanismo que nos permitirá establecer el costo total de la construcción, así como de todos los valores adicionales requeridos para la misma.

El proceso requerido para que un proyecto de obra sea llevado a cabo con las seguridades y garantías correspondientes, exige que un profesional en la materia se encargue de él. Este profesional, el **"Constructor"**, es el responsable de la ejecución íntegra de las obras para las cuales ha ofrecido sus servicios y ha sido contratado.

La errónea presupuestación es la causa principal por la cual un constructor no logra obtener los beneficios necesarios que le permitan alcanzar un crecimiento razonable, el cual garantice el ejercer de su actividad. A pesar de que los constructores experimentados son capaces de establecer empíricamente el costo promedio de un proyecto, la única manera en la que podremos tomar decisiones estratégicas será mediante el conocimiento detallado del origen de los costos que se generarán durante la obra.

Esto se vuelve prioritario al momento de ofertar nuestros servicios en contra de otros profesionales, de manera que cualquier optimización en el presupuesto puede volvernos más competitivos.

Además, el análisis empírico puede llevarnos a cometer errores que comprometan la rentabilidad del proyecto entero. Es necesario que cada decisión que tomemos tenga un fundamento lógico y sea analizado a detalle, de manera que nuestros estudios de costos reflejen la realidad del mercado.

El análisis presupuestario nos permite, por lo tanto, realizar una planeación adecuada de los gastos en obra. Su correcta ejecución dará paso a la reducción de costos en las áreas clave, sin comprometer la viabilidad del proyecto, además de que constituye una herramienta para planificar los beneficios que obtendremos producto de nuestro ejercer profesional.

Si bien podemos sentirnos abrumados con la gran cantidad de elementos que se deben considerar para el análisis presupuestario, a lo largo del presente libro los agruparemos de acuerdo con ciertas categorías que permitirán que su estudio sea realmente sencillo y fácil de entender; de forma que al culminar la presente obra seamos capaces de calcular un presupuesto con solvencia y seguridad.

Antes de adentrarnos en el análisis técnico del presupuesto, es necesario que comprendamos ciertos conceptos básicos que nos permitan contextualizar nuestra área de estudio, mismos que se describen a continuación.

El Análisis de Precios Unitarios (APU)

La actividad profesional del constructor radica en obtener contratos para la ejecución de diversos proyectos, para lo cual, habrá de presentar al ente contratante, un presupuesto o propuesta de costos lo suficientemente competitiva para que sea seleccionada por sobre sus competidores.

Dicho presupuesto, le permite al cliente particular o a la entidad contratante realizar una evaluación del costo que le resulte más conveniente respecto a las condiciones ofertadas por los profesionales interesados en brindar sus servicios. Por esto, el constructor necesita contar con un mecanismo que le permita calcular un presupuesto con rapidez y seguridad, de manera que la presentación de su oferta de servicios al cliente no requiera tiempo y recursos excesivos.

Sin embargo, la tarea que tiene por delante es bastante ardua. Del correcto cálculo presupuestario dependen no solamente la culminación de las obras, sino también la rentabilidad de su actividad profesional, además de la responsabilidad legal que este tiene frente al cliente, lo cual exige que el procedimiento de cálculo presupuestario sea confiable.

Para el estudio de costos existen diferentes técnicas que permiten encontrar con relativa precisión el valor total del proyecto, cada metodología se enfoca en cierta área específica de acuerdo con las necesidades del constructor. Nuestro objeto de estudio en el presente libro será el cálculo presupuestario mediante la metodología del "**Análisis de Precios Unitarios (APU)**".

Dicha técnica consiste en la subdivisión del proyecto a estudiar en un conjunto de tareas ordenadas de manera lógica, de forma que cada

17

una de ellas pueda ser analizada a detalle y se pueda establecer el costo unitario de su realización. La ejecución de todas las tareas descritas dará como resultado la finalización de la construcción del proyecto.

El costo de cada tarea se detallará de acuerdo con los requerimientos para la elaboración de una unidad de esta, de manera que dicho valor pueda ser multiplicado por las cantidades totales presentes en la obra, las cuales se denominan **"Cómputo de Cantidades de Obra"**. Al obtener la sumatoria de los costos de cada actividad planteada estaremos calculando el costo total del proyecto, con la certeza de que los valores obtenidos cubrirán los gastos que se generarán en la actividad constructiva.

Vamos a suponer que en una obra deberemos construir un muro, el cual lo presupuestaremos por unidad de metro cuadrado (m^2). Después de analizar todos los elementos que intervienen en la construcción, establecemos un costo X para cada unidad de m^2 de esta tarea. Vamos a suponer que el proyecto solicita la construcción de 20 m^2 de muro, por lo tanto, el costo total se obtendrá del producto entre el precio unitario X y la cantidad total requerida. El costo será entonces de 20X.

Debido a que en el análisis de cada tarea hemos considerado todos los elementos intervinientes, tanto de recursos humanos como de materiales y logística para que puedan ser ejecutados, podemos tener la seguridad de que el costo descrito refleja el estilo de trabajo del constructor, lo cual convierte al APU en una metodología de presupuestación muy confiable.

El APU permite que el constructor pueda calcular el costo de sus actividades de manera veraz, a fin de que logre establecer una base

e datos de costos con la cual pueda realizar un presupuesto de cons-
ucción de manera rápida, económica y, por lo tanto, eficiente.

Es importante mencionar que siempre se deberá hablar de costos
proximados, debido a que en la actividad constructiva es casi im-
osible establecer un precio exacto. Esto se debe a que el ejercer pro-
esional del constructor depende de un amplio y dinámico mercado
e insumos, sobre el cual no tenemos control, sin mencionar todos
os imprevistos que pueden surgir en la actividad diaria del personal
e obra.

Los valores que calculemos para un presupuesto estarán siempre
ujetos a cambios que generarán variaciones porcentuales pequeñas.
l análisis de precios unitarios le brinda al constructor una herra-
nienta de estudio para anticiparse a estos posibles cambios y tomar
ecisiones oportunas, basadas en la información de calidad que ob-
enga de sus proveedores, su personal administrativo y de control.

¿Qué es un presupuesto y quién lo realiza?

ara llevar a cabo un proyecto de construcción, se requiere de un sin
número de elementos que nos permitan cumplir satisfactoriamente
on las tareas que, en conjunto, darán por resultado la culminación
le la edificación. Estos elementos o **"Insumos"** van desde los ma-
eriales a emplear, hasta las herramientas requeridas y el personal
ncargado, como analizaremos más adelante.

Todos estos elementos o insumos que intervienen directa e indirec-
amente en la obra generarán un costo que deberá ser presupuestado.

Dicho costo estará vinculado a su valor, tarifa horaria, remunera ción, desgaste, entre otros.

Tanto la cantidad de cada uno de los insumos como su prec unitario reflejan un porcentaje dentro del presupuesto general, c manera que, mayor será la incidencia de un elemento si mayor c su precio unitario o la cantidad total requerida del mismo, como veremos a detalle en los siguientes capítulos de este libro.

La sumatoria de los costos generados por los insumos represer tará, por lo tanto, el costo total del proyecto. Por consiguiente, d remos que un **"Presupuesto de Obra"**, es el mecanismo que nos pe mite calcular el costo total de un proyecto de construcción, para l cual, analiza cada uno de los insumos que intervienen y su incidenci dentro del total general, agrupándolos en un listado de rubros qu faciliten la comprensión de las actividades a realizarse durante l ejecución de la obra.

Por lo general, dentro de cada empresa existe un encargado de ana lizar estos costos; dicho profesional se denomina **"Presupuestador"**.

Su función es primordial para la correcta labor de una empresa Es el responsable de calcular el costo de un proyecto de construcció previo a la inicialización de las obras, además de controlar y ajusta los gastos reales que se irán generando, de manera que se garantic la culminación de la construcción con la concerniente obtención de beneficio planificado que permita el sostenimiento del ejercicio pro fesional de la empresa.

Además, el presupuestador será el encargado de la cotización de cada uno de los insumos. Dentro de la industria de la construcción entendemos por **"Cotización"**, a la recolección de información rea

, actualizada respecto a los precios de mercado, al stock que manejan nuestros posibles proveedores y las condiciones de servicio que nos puedan ofrecer, de manera que podamos realizar una adecuada negociación tanto de precios, tiempos de entrega y condiciones del servicio.

Esta tarea puede resultar en extremo beneficiosa. Dependiendo de las condiciones del proyecto, se estima que se puede obtener un promedio del 5% de reducción en los costos del material producto de la negociación de precios, por tal motivo, la cotización de insumos debe tener nuestra especial atención.

Por todas estas razones, un presupuesto correctamente calculado nos permitirá llevar el análisis de costos a un escenario tan real como sea posible, reflejando los costos verdaderos que se manejan en la localidad del proyecto, por lo que se podrán tomar decisiones respecto a la provisión de los diferentes insumos de forma anticipada y adecuada.

¿Qué es un rubro?

Al analizar los insumos que requeriremos para la ejecución del proyecto, podremos encontrarnos con una muy extensa lista que reúne elementos como materiales, personal de construcción, vehículos de transporte, entre otras. Todas y cada una de ellas cumplen una función específica que permitirán el desarrollo adecuado de las actividades.

Sin embargo, Se torna bastante complicado el poder comprender las tareas a ejecutar en medio de una lista tan generalizada. Por tal

motivo, el presupuestador conformará un conjunto de actividade
lógicas, las cuales al ser ejecutadas en su totalidad darán como resul
tado la culminación de la obra. A cada una de estas actividades le
asignará los insumos necesarios para su ejecución. Dichos conjuntos
de tareas acompañadas de sus correspondientes insumos se denomi
nan **"Rubros"**.

Si además a cada insumo dentro del rubro lo relacionamos con
sus características propias como cantidad, precio, horas de trabajo
requeridas, entre otros, estaremos obteniendo el costo que conlleva
la ejecución de dicha tarea en relación con la magnitud en la que ha
sido estudiada.

Debemos enfatizar, que cada rubro se encargará del análisis independiente de una tarea específica, por lo que éstas deberán estar
perfectamente delimitadas unas de otras.

Diremos, por tanto, que un rubro es un elemento del presupuesto,
el mismo que se encarga de estudiar de manera detallada los insumos
necesarios para la ejecución de una tarea puntual, agrupándolos y
estudiándolos de acuerdo con sus características específicas, con el
objeto de obtener el costo aproximado que cubra la ejecución de tal
actividad en su valor unitario. Debido a que para cada tarea deberemos realizar un análisis de precios independiente, es común que los
rubros sean denominados directamente como APU's.

Mediante este análisis, el presupuestador puede realizar un estudio profundo de la forma en la que se manejará el capital destinado
para la obra, pudiendo encontrar con facilidad las áreas específicas
donde sea necesario realizar una optimización del trabajo para así
poder obtener una reducción en el presupuesto total.

Debemos tener en cuenta, que un mismo insumo se puede presentar en diversos rubros de acuerdo con las necesidades específicas. Supongamos que en una lista de insumos obtenemos el resultado del costo total de los obreros necesarios para el proyecto, el cual asciende a un valor X. Desafortunadamente, dicho valor no nos detalla la tarea en concreto sobre la cual podamos optimizar los trabajos. Por el contrario, si analizamos un rubro en específico en el cual hemos notado un valor exagerado, podremos tomar las decisiones respectivas a fin de lograr el desarrollo de dicha tarea con un mejor costo.

Al igual que un rubro es la agrupación de diferentes insumos, los rubros se agrupan de acuerdo con la actividad que realizan. Dichas agrupaciones de rubros se denominan **"Capítulos"**, los mismos que no agregan ningún tipo de información adicional al presupuesto; su objetivo más bien es el de organizar los rubros de modo que la información pueda ser presentada de una manera lógica para su estudio.

El capítulo de movimiento de tierras, por ejemplo, contendrá los rubros que analizan las excavaciones, rellenos, conformación de taludes, y todas las tareas requeridas para el proyecto en las cuales se deba modificar el terreno natural, de manera que se pueda obtener un subtotal de estas actividades y se determine un costo parcial y su incidencia porcentual dentro del presupuesto.

Componentes de un rubro

A manera de resumen, diremos que un rubro muestra el conjunto de insumos necesarios para ejecutar una unidad de una tarea puntual en la obra, por consiguiente, un rubro englobará una serie de insumos de diferente índole.

Es de extrema importancia para realizar los cálculos necesarios, el tener siempre en cuenta la unidad sobre la cual estamos estudiando el rubro, ya que podemos diseñar este de la manera que resulte más conveniente para nuestros cómputos de cantidades de obra.

Así como podemos dividir cualquiera de nuestras actividades diarias en sus componentes más pequeños, podemos proceder de la misma manera con los rubros. Si bien no es indispensable ser un experto en sistemas constructivos, si es necesario conocer el proceso de ejecución del rubro que deseamos analizar, a fin de que podamos describir la actividad a ejecutarse dentro del rubro señalado. Afortunadamente, los medios digitales y las herramientas de cálculo presupuestario nos permiten tener acceso a información de calidad de la cual podemos deducir el orden lógico de las tareas, además de los insumos necesarios para ejecutarlas.

En caso de que necesitemos diseñar un rubro para una licitación, será necesario que adaptemos los procesos e insumos a las **"Especificaciones Técnicas"** solicitadas por la entidad contratante. Estas son una serie de lineamientos donde se detalla los pormenores para el análisis del rubro y la ejecución de la tarea, por lo cual, el diseño del rubro deberá cumplir a cabalidad con todas las solicitaciones, tal como lo analizaremos en el Capítulo 6.

Una vez que tengamos claro el proceso requerido para la ejecución de la tarea en cuestión, así como los insumos necesarios, rápidamente notaremos que existen ciertas concordancias en los componentes, us características propias y la mejor manera de clasificar los diferentes insumos al interior del rubro.

Con el objeto de facilitar el estudio y poder presentar la información de manera clara y lógica, agruparemos los insumos similares en "**Categorías**", de manera que la visualización de la información presente al interior del rubro no permita equívocos.

Existen tres categorías principales y una categoría complementaria en las que se agrupan los insumos dentro de un rubro, las cuales son las siguientes:

Materiales

Es una de las categorías que pueden influir en mayor proporción sobre el total del costo del rubro, por lo que exige un mayor cuidado.

Es aquí donde se detallan los elementos necesarios para construir el objeto de análisis del rubro. El costo de los materiales se calculará de acuerdo con la cantidad necesaria para la elaboración de una unidad de obra y su costo unitario respectivo.

Mano de obra

Se encarga de estudiar el personal que intervendrá en la construcción, analizando los equipos de trabajo o cuadrillas, su rendimiento y su costo horario; siendo estos factores los que determinarán el costo de la categoría.

En la actividad constructiva existen tareas que son exclusivamente manuales, en estos casos es preponderante la optimización de los equipos de trabajo, de manera que se obtengan los mejores rendimientos posibles a fin de abaratar los costos.

Herramienta y equipos

Aquí se analiza las herramientas manuales, eléctricas, electrónica entre otras, que los obreros requerirán para ejecutar su trabajo. Su costos se derivan de su tarifa horaria y del rendimiento del propi personal que las empleará.

Se debe tener en cuenta el total de herramientas requeridas, y que, dentro de una cuadrilla, cada obrero necesitará de un equip diferente para que pueda realizar su trabajo de forma eficiente.

Transporte

Esta categoría no siempre está presente en los rubros debido a la condiciones de trabajo específicas de cada proyecto, sin embargo tiene la capacidad de modificar por completo el costo total de l obra.

Aquí se analizan los costos relacionados al traslado del ma terial desde su punto de distribución hasta el sitio de la obra. S costo se deriva de la tarifa horaria de los vehículos empleados, as como de la propia capacidad de carga del vehículo y la distanci a recorrer, pero además podrá generar costos adicionales en otra categorías.

Cada una de estas categorías será estudiada a profundidad e los subsiguientes capítulos de este libro, en los cuales realizare mos un análisis detallado de las condiciones que pueden llegar presentarse y los procesos mediante los cuales se obtiene el cost total.

Costos directos y costos indirectos

Ahora que entendemos el concepto de presupuesto y como está conformado, podemos entender el origen de los costos requeridos para llevar a cabo una edificación. Como resumen y para comprender el concepto de la diferenciación de costos, hagamos una síntesis de los conocimientos estudiados hasta el momento.

Sabemos que la manera de conocer el costo aproximado de un proyecto de construcción se logra mediante la aplicación de la metodología del Análisis de Precios Unitarios (APU), la cual calcula un presupuesto en base a una serie de rubros, los cuales representan las tareas puntuales a realizar. Estos rubros están compuestos por los insumos necesarios para su ejecución, descritos en forma de materiales, mano de obra, herramientas y transporte.

El presupuesto de obra agrupa los valores derivados directamente del costo de los insumos y la ejecución de las tareas correspondientes, es decir, representa en valores monetarios a las actividades que se busca ejecutar. Diremos entonces, que el **"Costo Directo"** de un proyecto es el monto específicamente destinado para cubrir los costos de los insumos que se requieren para la construcción de la obra hasta su culminación.

Sin embargo, los costos directos no contemplan los gastos adicionales producto de las actividades anexas que permiten la correcta ejecución de las obras.

Pongamos como ejemplo un constructor que ha sido contratado para edificar una vivienda. El profesional deberá contratar a los obreros necesarios para la construcción, necesitará también adquirir el material, las herramientas y equipos correspondientes a los reque rimientos del proyecto, además, deberá considerar el transporte de los materiales. El total de estos costos indican la inversión monetaria necesaria para llevar a cabo la construcción, estando completamente ligados al costo de los insumos, por lo cual los habremos de conside rar como **costos directos** del proyecto.

Sin embargo, para que el constructor pueda ejecutar la obra con eficiencia y seguridad, además de los obreros necesitará personal encargado de la supervisión y el control de la obra. Necesitará también del personal de oficina encargado de mantener su empresa operativa y en busca de conseguir nuevos contratos, para lo cual requerirá de los profesionales adecuados para dichas tareas, así como las instalaciones correspondientes. Todos estos elementos generarán un costo mensual el cual el constructor deberá cubrir con los beneficios de su actividad profesional.

Adicionalmente a los gastos por las actividades administrativas, el constructor deberá percibir una utilidad la cual le permita obtener un crecimiento profesional adecuado, además de un monto que le proteja de imprevistos en su ejercer laboral.

Como podemos observar, ninguno de estos costos adicionales ha sido calculado en los valores de los insumos de la obra, por lo que deberán ser adicionados en un valor porcentual al costo directo del proyecto en estudio. La sumatoria de estos costos adicionales se consideran como costos indirectos.

Diremos, por lo tanto, que los **"Costos Indirectos"** de un proyecto, son los valores porcentuales que surgen de las actividades que no están directamente involucradas en el costo de construcción de una obra, sin embargo, permiten que el constructor pueda operar de manera eficiente y rentable.

El estudio de los costos indirectos requiere una especial atención, ya que, de no realizar las consideraciones necesarias, los gastos generados por la propia actividad profesional terminarán repercutiendo sobre las ganancias, derivando en la imposibilidad de mantener nuestras operaciones en el mediano y largo plazo.

En el Capítulo 6 de este libro se analizan los costos indirectos con total detalle, en donde se estudian los gastos que el constructor genera como producto de su actividad con el fin de calcular un valor porcentual que garantice la cobertura total de los mismos.

Ley de Pareto

Una vez que hemos analizado los insumos que se requieren para el proyecto, encontraremos siempre que algunos de ellos son más representativos que otros dentro del presupuesto, ya sea por su alto valor o por la gran cantidad requerida.

Cuando el presupuestador inicia el proceso de cotización de cada uno de los rubros, se encontrará con una tarea enorme, ya que todos deberán tener un precio actualizado para cada proyecto que se esté presupuestando. Desafortunadamente, dentro de la práctica profesional no contamos siempre con el tiempo necesario como para realizar esta tarea de manera detallada, por lo que es común que el presupuestador actualice únicamente los insumos que representan los valores más importantes para el presupuesto, dejando de lado a todos aquellos cuyo valor o cantidad no tienen la capacidad de repercutir en el análisis.

Pero ¿cómo podemos saber cuáles insumos deberemos observar con mayor cuidado?

Para resolver esta duda podemos trabajar en base a la lista total de insumos, en la cual deberemos ordenarlos de forma descendente, de acuerdo con el valor alcanzado como resultado del producto de su cantidad total por su precio unitario.

Si a cada elemento los relacionamos con el costo directo del proyecto, podremos analizar claramente la carga porcentual que estos representan de manera individual. A esta lista la llamamos **"Tabla de Incidencias"**.

Si bien el escenario ideal consiste en que podamos detallar todos y cada uno de los insumos, al analizarlos de acuerdo con su incidencia porcentual sobre el total, nos iremos dando cuenta de que mientras más descendemos en la lista de insumos, los elementos van perdiendo su relevancia, por lo tanto, la variación de precio no logra afectar de manera significativa al costo total del proyecto. En el Capítulo 6 podremos estudiar esta importante herramienta para el análisis de resultados.

Vilfredo Federico Pareto (1848-1923), fue un economista italiano que estudió los mecanismos de producción, estableciendo valores porcentuales que describen la incidencia del trabajo sobre los resultados finales de cualquier actividad industrial. Sus estudios demuestran cómo el 20% de las acciones generan el 80% de los resultados, por lo cual es ampliamente conocida como la regla del 20/80.

Esta regla se manifiesta en la industria de la construcción, por ejemplo, cuando el 20% de los clientes generan el 80% de los ingresos e la empresa. Aplicando esta regla a la resolución del problema lanteado, podemos notar como el 20% de los insumos generan el 0% de los costos del presupuesto. Por consiguiente, el 80% de los nsumos, a pesar de conformar la mayor parte de los elementos presentes en la tabla de incidencias, no llegan a tener la capacidad de nfluir significativamente sobre el presupuesto.

Por tal motivo, es indispensable que, al momento de realizar un studio de costos, tengamos muy en cuenta la cotización de los insumos dentro del grupo del 20%. Incluso si deseáramos rebajar el osto total de un proyecto, será en estos insumos donde podremos ealmente tener un efecto considerable al conseguir un proveedor on mejores costos.

Hagamos el ejercicio práctico con dos insumos de uso muy conún: el cemento, el cual por lo general aparecerá dentro del grupo lel 20%, en contra de los accesorios de la tubería de aguas servidas, os cuales no suelen alcanzar un porcentaje significativo en el presuuesto.

Supongamos que para el proyecto se ha calculado un total de 0,000 kilogramos (Kg) de cemento con un costo unitario de 0.17 JSD. Esto nos dará como resultado un costo de 3,400 USD. De igual nanera, vamos a suponer que hemos calculado un total de 40 acceorios sanitarios a un costo promedio de 0.45 USD. Esto nos dará un otal de 18 USD.

Producto de la negociación de precios, supongamos que hemos ogrado obtener un descuento en el precio del Kg de cemento de .02 USD y de 0.10 USD en el costo de los accesorios. Mientras que en el precio del cemento lograremos un ahorro de 400 USD, en los

accesorios, a pesar de haber obtenido un descuento porcentual mucho más importante, apenas habremos logrado un ahorro de 4 USI

Esto, por supuesto, se debe a la enorme cantidad de cemento r-
querida dentro del proyecto, por lo que cualquier descuento tend-
una repercusión considerable en el total. Lo mismo ocurre con tod-
los insumos; mientras más arriba se coloquen dentro de la tabla c
incidencias, mayor repercusión tendrá cualquier cambio realizac
en ellos.

Ahora que hemos comprobado cómo influyen los costos de l-
insumos del grupo del 20%, entendemos la importancia de analiz-
más cuidadosamente dichos elementos, ya que pueden lograr un-
mejora en el costo ofertado, o, a su vez, elevar la utilidad para -
constructor.

Capítulo 2. Materiales

Como se había explicado anteriormente en el Capítulo 1, los diferentes insumos necesarios para la ejecución de un rubro pueden agruparse en categorías de acuerdo con sus características. En este capítulo estaremos analizando la categoría de Materiales, donde detallaremos los elementos que intervienen en esta sección del rubro. Si bien este apartado puede ser de un amplio alcance, nos centraremos en mencionar los de uso más común con los que el constructor se ve relacionado con mayor frecuencia durante su trabajo cotidiano.

Entenderemos como **"Materiales"**, a los insumos destinados a la fabricación de la tarea objeto del estudio del rubro. Algunos ejemplos pueden ser: cemento, bloques, cerámica, tuberías, hierro, vidrio, pintura, entre otros.

La importancia del detallado análisis de esta categoría se ve ligada al gran peso porcentual que estos insumos representarán sobre el costo directo de la obra. Dependiendo del sistema constructivo y de las condiciones del proyecto, el porcentaje del presupuesto destinado a la adquisición de los materiales puede estar entre el 60% y el 80% del total. Por lo mismo, la correcta gestión del constructor al destinar los insumos a las obras, intentando minimizar los desperdicios, así como el conseguir buenos proveedores, permiten reducir los costo del proyecto y maximizar los beneficios.

El presupuestador tendrá, por consiguiente, la responsabilidad de obtener una lista donde se detalle el total de materiales que serán requeridos para la ejecución del proyecto, de manera que se pueda gestionar una cotización más favorable a sus intereses al negociar la compra de insumos en volumen. Dicha lista de materiales servirá además como base para el análisis final mediante la elaboración de la correspondiente tabla de incidencias.

Debido al alto costo de los insumos de esta categoría y a las diferentes condiciones que requieren para su almacenaje, es necesario que dentro de la obra se disponga del espacio de bodegaje apropiado, de manera que el material se encuentre en óptimas condiciones al momento que vaya a ser utilizado.

Entre los insumos para la construcción que necesitan de un mayor cuidado, podemos mencionar al cemento, el cual no puede ser almacenado en ambientes húmedos, por lo que requiere de la construcción de una plataforma elevada de la superficie sobre la cual se pueda acopiar. De la misma manera, los diferentes tipos de materiales necesitan ser almacenados con ciertas consideraciones específicas, a fin de que no sufran desgastes que comprometan su calidad, resistencia o detalle de acabado, de manera que la calidad lograda por el conjunto de materiales satisfaga los requerimientos del contratante al momento de la recepción de la obra.

Además, es importante llevar un adecuado control del material a medida que es utilizado de acuerdo con el cronograma, para que así se logre controlar cualquier mal uso que se esté haciendo del mismo.

Como resultado de las muy diversas tareas requeridas dentro de un proyecto de construcción, nos encontraremos con una similar diversidad tanto de materiales como de presentaciones en el mercado, como lo analizaremos más adelante. Por lo mismo, deberemos gestionar el almacenaje, transporte y empleo de elementos pétreos, fluidos, piezas prefabricadas, entre otras, por lo cual, el constructor y el presupuestador deben estar familiarizados con todos ellos y entender las recomendaciones técnicas necesarias a fin de gestionar un adecuado bodegaje, el cual garantice la conservación de la calidad de los insumos y permita un trabajo fluido en la obra.

Un rubro puede ser diseñado de la manera que mejor represente la metodología de trabajo del constructor y permita su mejor comprensión y cómputo, por lo cual, puede ser tan sencillo o complejo como se requiera. Debido a que este debe describir la ejecución de una tarea en concreto, los materiales presentes en el rubro serán detallados únicamente para tal actividad, sin embargo, el presupuestador experimentado puede optar por la unificación de varias tareas directamente relacionadas en un solo rubro, si de esa manera logra una mejor comprensión y un más eficiente análisis de costos.

Vamos a detallar a manera de ejemplo, los materiales requeridos para la construcción de una columna de hormigón armado.

Debemos entender que todos y cada uno de los insumos deben ser presupuestados, ya que los gastos generados terminarán perjudicando nuestras utilidades en caso de que no sean incluidos en el análisis.

Para la construcción del ejemplo planteado harán falta tres rubros: el hormigón simple en columnas, el acero de refuerzo tanto principales como en estribos y el encofrado.

Obtendremos como resultado, que los materiales requeridos son: cemento, agregado fino, agregado grueso, agua, acero de 12 mm, acero de 8 mm, alambre de amarre, madera rústica y clavos, repartidos en los diferentes rubros detallados anteriormente.

De manera similar al ejemplo planteado, se deberán detallar los materiales requeridos para la ejecución de cada rubro presente en el presupuesto. A continuación, en este capítulo, estaremos analizando los procedimientos sugeridos a fin de asignar los insumos correspondientes para cada tarea, así como las cantidades adecuadas de los mismos de manera técnica.

Principales insumos

Como se explicó en el Capítulo 1, una manera muy eficiente para ordenar un presupuesto se logra mediante la agrupación de los diferentes rubros en capítulos, los cuales se concentran en una parte específica de la obra. Es evidente que, al enfocarse en una parte concreta, habrán de hacer uso de diferentes materiales los cuales en muchos de los casos son de uso exclusivo de un tipo de cuadrilla, es decir, son manejados por un personal especializado en su uso.

Mencionaremos a continuación los más comúnmente usados en la construcción, de acuerdo con el capítulo al cual corresponden:

Trabajos preliminares y movimientos de tierras
Estas tareas son principalmente manuales, por lo que requieren muy pocos o ningún material más allá de los insumos que son general-

iente reciclados y de uso reiterado dentro de la obra, como estacas
e madera, piola, cal, entre otros.

structuras de hormigón

Nos referiremos aquí a los materiales necesarios para la construcción
e elementos estructurales en hormigón, aclarando que dentro de
stos rubros no se deberán incluir los materiales para los encofrados,
os cuales se analizarán en sus propios rubros.

Será indispensable la separación de tareas de acuerdo con el elemento estructural y la característica de este, ya sea su resistencia,
ección, espesor, entre otros.

Los rubros diseñados para este capítulo deberán permitir la presupuestación de las tareas de preparación de la superficie para la
onstrucción de las estructuras y la elaboración y vaciado del hormigón, de acuerdo con los diferentes elementos constructivos presentes
n una estructura tradicional conformada en hormigón.

Los principales rubros para presupuestar elementos estructurales,
así como sus respectivos materiales, pueden encontrarse en la Tabla 1.

Tabla 1: Rubros y materiales para estructuras de hormigón.

Rubros	Materiales
Replantillo	Cemento, agregado fino, agregado grueso, agua,
Bases de piedra	Lámina plástica, piedra,
Losetas	
Hormigón estructural	Aditivos (opcionales),
Malla electrosoldada	Malla electrosoldada, alambre de amarre,
Acero de refuerzo	Barras o varillas de acero, etc.

Mamposterías

En este capítulo se analizan los rubros de construcción de muros paredes de albañilería.

Estos deberán permitir el cálculo de las tareas de construcció de muros y paredes con sus respectivos recubrimientos y remate además de las tareas adicionales que pueda solicitar el contratant como impermeabilizaciones y tareas requeridas para realizar repa raciones.

Los principales rubros y materiales en esta categoría pueden ot servarse en la Tabla 2.

Tabla 2: Rubros y materiales para mamposterías.

Rubros	Materiales
Mampostería de bloque	Bloque, cemento, agregado fino, agua, acero de refuerzo,
Mampostería de ladrillo	Ladrillo,
Bordillos	
Mesón de hormigón	Agregado grueso,
Masillado de contrapiso	
Enlucido horizontal	
Enlucido vertical	
Enlucido de fajas	
Impermeabilización de cubierta	Lámina asfáltica, imprimante, etc.
Picado y corchado para instalaciones	

Tabiques prefabricados

Este capítulo se destina a analizar los tabiques, es decir, los elementos de se paración construidos en materiales prefabricados sin capacidad portante.

Los rubros requeridos se diseñarán para la presupuestación de paredes prefabricadas con estructura de acero galvanizado, las cuales se detallarán de acuerdo con sus especificaciones de resistencia a la humedad y al fuego, además de sus sistemas de aislamiento.

Los principales rubros y materiales pueden observarse en la Tabla 3.

Tabla 3: Rubros y materiales para tabiques.

Rubros	Materiales
Pared media	Placa de cartón yeso, perfilería galvanizada, tornillos, sellador, masilla, cinta, esquineros,
Pared simple	
Pared mixta	
Pared resistente a la humedad	Placa resistente a la humedad,
Pared resistente al fuego	Placa resistente al fuego,
Pared fibrocemento	Placa de fibrocemento,
Mesón de fibrocemento	
Aislante termoacústico	Lana de vidrio,
Barrera de vapor	Lámina hidrófuga, etc.

Cubiertas y cielos

El capítulo se reserva el listado de rubros dedicados al análisis de cubiertas y cielos en exteriores e interiores respectivamente.

Los rubros presentes en estos capítulos abarcan el estudio de las estructuras portantes de madera o acero para las cubiertas, el elemento de cubierta y los cielos rasos.

En la Tabla 4 se pueden observar los principales materiales y rubros.

Tabla 4: Rubros y materiales para cubiertas y cielos.

Rubros	Materiales
Estructura de madera para cubierta	Viga de madera, pernos, laca,
Estructura de aluminio para cubierta	Perfilería de aluminio, remaches,
Estructura metálica para cubierta	Perfilería metálica, pintura anticorrosiva,
Cubierta de teja	Teja, alfajías, clavos,
Cubierta de policarbonato	Policarbonato, clips, sellador,
Cielo raso suspendido	Placa de cartón yeso, perfilería de acero galvanizado, tornillos, alambre de amarre, masilla, cinta,
Cielo raso de junta vista	Panel vinílico,
Cielo raso acústico	Panel acústico, etc.

Acabados

Los rubros del presente capítulo describen las tareas encargadas de recubrir los elementos constructivos, proporcionándoles su terminación final.

Los rubros estudiarán los recubrimientos en pisos, paredes y techos tanto interiores como exteriores, además de enfocarse en el detalle del material a emplear y del remate de las terminaciones de los elementos constructivos.

Los materiales presentes en estos rubros se detallan en la Tabla 5.

Tabla 5: Rubros y materiales para acabados.

Rubros	Materiales
Recubrimiento cerámico en pisos	Cerámica, mortero hidráulico, porcelana de emporado,
Piso de madera	Duela de madera, alfagías, clavos, laca,
Remates de piso	Barredera de madera,
Alisado de mamposterías	empaste, carbonato de calcio,
Recubrimiento exterior de madera	Tratamientos químicos, pernos,
Recubrimiento con piedra decorativa	Fachaleta decorativa,
Pintura de interiores	Pintura de esmalte, sellador, lija,
Pintura de caucho	Pintura de caucho, etc.

Carpinterías

Estos rubros se encargan de analizar los elementos que permiten un confort adecuado dentro del proyecto, aislando los ambientes, permitiendo el uso confortable de las instalaciones y dotándolos de la seguridad adecuada.

Los rubros presupuestarán las puertas y ventanas, así como los elementos de cerrajería y el mobiliario fijo dentro del proyecto.

En la Tabla 6 se observan los principales rubros y materiales.

Tabla 6: Rubros y materiales para carpinterías.

Rubros	Materiales
Pasamanos	Tubo de acero,
Ventana de aluminio	Perfilería de aluminio, accesorios,
Ventana metálica	Perfilería metálica, pintura anticorrosiva,
Puertas de aluminio	
Puertas paneladas de madera	Panel OSB, tablón, clavos, laca,
Puertas tamboradas de madera	alfagías, lámina contrachapada,
Cerraduras	cerraduras llave - llave, cerraduras llave - seguro,
Muebles modulares de madera	accesorios,
Muebles de drywall	Placa de fibrocemento, perfilería de acero galvanizado, tornillos, masilla, cinta, esquineros,
Vidrio	Vidrio, masilla, sellador, etc.

Instalaciones hidrosanitarias

Aquí se estudiarán los rubros encargados del suministro de agua potable para el proyecto, además de las instalaciones necesarias para recolectar las aguas servidas y aguas lluvias.

Los rubros presupuestarán el costo de las tareas de suministro, las redes internas de distribución y recolección, los equipos requeridos para los distintos sistemas y los equipamientos para el usuario.

Los principales rubros y materiales se observan en la Tabla 7.

Tabla 7: Rubros y materiales para instalaciones hidrosanitarias.

Rubros	Materiales
Medidores	Medidor de caudal,
Tanques de reserva	Tanque cisterna,
Tubería metálica	Tubería de cobre, accesorios de cobre, pasta para soldar,
Tubería plástica	Tubería plástica, tubería de PVC, accesorios,
Rejillas	Rejilla de interiores, rejilla de exteriores,
Equipamientos	Lavamanos, inodoros, grifería, fregadero de platos,
Equipos	Calentadores de agua, tanques hidroneumáticos,
Cajas de revisión	cemento, agregado fino, agregado grueso, agua, acero de refuerzo, ladrillo, etc.

Instalaciones eléctricas

En estos rubros se analizan los elementos destinados al suministro de energía eléctrica para el proyecto.

Los rubros se encargarán de estudiar los sistemas diferenciados de iluminación, fuerza, datos, entre otros, sus redes y accesorios, así como también los sistemas de control y seguridad.

Los rubros y materiales más importantes se detallan en la Tabla 8.

Tabla 8: Rubros y materiales para instalaciones eléctricas.

Rubros	Materiales
Medidores	Medidor de consumo,
Redes eléctricas	Tubería plástica, tubería de manguera, cable , accesorios,
Puntos de alimentación	Caja octogonal, caja cuadrada, caja rectangular,
accesorios	Interruptor, tomacorriente, boquilla de baquelita, lámpara de plafón,
equipos	Tablero de distribución, llave termomagnética, sensores,
Conexión a tierra	Varilla de cobre, pasta para soldar, etc.

Trabajos finales

Se detallarán aquí las tareas destinadas a dejar la obra lista para s entrega al contratante.

Los rubros describirán las tareas de limpieza de la obra, así com la instalación de elementos decorativos finales.

Escasos materiales se pueden encontrar en estos rubros, entr ellos el césped o las plantas ornamentales, los cuales habrán de se colocados a la culminación de las obras.

Encofrados

A pesar de que estos rubros van de la mano con la elaboración de lo elementos estructurales de hormigón, es necesario el presupuestarlo por separado debido a que los materiales que se utilizan para ello son reciclados una y otra vez dentro de la obra, por lo cual, de anali zarse en conjunto con las estructuras, el estudio requerido resultaría complejo y lleno de supuestos. Lo aconsejado, por lo tanto, es e análisis de costos por un total global para el proyecto, tratando de considerar los elementos que se reciclarán.

De igual manera, es aconsejable presupuestar estas tareas después de haber estudiado los requerimientos para los demás rubros, esto nos permitirá tener una visión global del proyecto, la cual nos ayudará a establecer las cantidades con mayor conocimiento de las actividades a ejecutar.

Los rubros estudiarán la madera rústica requerida para el proyecto, además de los elementos prefabricados de alquiler que puedan ser ofertados en la localidad.

En la Tabla 9 se describen los principales rubros y materiales de esta categoría.

Tabla 9: Rubros y materiales para encofrados.

Rubros	Materiales
Madera rústica	Tabla de monte, parantes de madera, clavos, alambre de amarre,
Encofrados para columna	Tableros prefabricados, rieles, andamios, etc.
Encofrados para losa	

Unidades de comercialización

Como habremos observado, la lista de materiales necesarios para la ejecución del proyecto es bastante extensa, sin embargo, debido a que hemos diseñado los capítulos y rubros de acuerdo con una serie de tareas lógicas que describen los trabajos cotidianos del constructor, resulta realmente sencillo familiarizarse con los insumos presentes al interior de cada rubro.

Es normal que, en diferentes localidades a lo largo de la región, algunos materiales se denominen de una manera particular, por lo que si deseamos ofrecer nuestros servicios fuera de nuestra área regular de trabajo, convendrá reconocer estas denominaciones para evitar confusiones con el personal de obra.

Sin embargo, el mayor reto radica en la manera en que los proveedores realizan la distribución de un mismo insumo. Dependiendo del distribuidor, podría ofrecer el material en diferentes presentaciones, para lo cual, lo medirá en diferentes magnitudes, por lo que es indispensable que establezcamos nuestras equivalencias respectivas a fin de que seamos capaces de relacionar los volúmenes requeridos con los que nos son ofertados.

Un ejemplo claro es el acero, que es calculado en kilogramos tanto en los planos estructurales como en el análisis presupuestario, mientras que en el mercado es vendido por número de barras o quintales (q).

Más adelante se presentarán algunas tablas de equivalencia que facilitan las transformaciones que el constructor deberá aplicar en su trabajo cotidiano.

Las unidades en las que se pueden adquirir los distintos insumos presentan un reto para el presupuestador, ya que exige que el profesional tenga el conocimiento sobre el rendimiento del material, es decir, la cantidad de este requerido para elaborar una unidad de obra de acuerdo con la presentación que disponga. Por lo general, en los materiales procesados, la descripción del producto incluye el rendimiento promedio en una serie de escenarios, lo cual a pesar de que representa una gran ayuda, no exime al presupuestador de su responsabilidad de conocer y analizar la cantidad real del insumo con la cual deberá llevar a cabo el estudio de costos.

En la Tabla 10 se encuentra una lista con las unidades más comunes en las que se puede adquirir un material en el mercado.

Tabla 10: Materiales y unidades de comercialización.

Tipo	Material	Unidades
Aglomerantes	Cemento, mortero hidráulico, cal	Kg, lb, sacos
Pétreos	Piedra, polvo azul, arena fina, ripio	m^3, volquetes, sacos, carretillas
Aditivos	Acelerantes, retardantes, impermeabilizantes, tratamiento de madera	gal, l, caneca, tanque
Agua		m^3, tanquero, global
Acero de refuerzo	Barras de acero	Kg, quintal, U
	Malla electrosoldada	m^2, U
	Alambre de amarre	rollo, Kg, m
Cartón yeso	Cartón yeso, fibrocemento	m^2, planchas
Perfilería	Perfil de acero galvanizado, esquineros, perfil de aluminio, perfil metálico	m, U, ton
Madera	Vigas, cuartones, alfagías, barrederas	U, m
	Duelas, media duelas, tablones	m, m^2, U
	Panel OSB, madera aglomerada, madera rústica	U, m^2
Cubiertas	Teja, panel vinílico	m^2, U
	Policarbonato	rollo, m^2

Recubrimientos cerámicos	Cerámica, porcelanato	m², caja
	Mármol	Plancha, m²
Recubrimientos decorativos	Fachaletas, baldosas decorativas	m², caja
Aislantes	Lámina plástica, lámina asfáltica, lana de vidrio	m², rollo
Accesorios de carpintería	Cerraduras, manubrios	U
Vidrio	Vidrio cortado	m², plancha, caja
Masillas	Empaste, masillas	Saco, Kg, l
Pinturas	Pintura esmaltada, pintura de caucho, laca	gal, l, caneca
Tubería	Tubos	m, U, ton
	Cables	m, rollo, Kg
	Accesorios de tubería	U
Equipamiento sanitario	Lavamanos, inodoros, fregaderos, medidores, cisternas	U
	Grifería	U
	Accesorios sanitarios	U, caja
Equipamiento eléctrico	Sensores, lámparas, medidores, tableros	U
	Cajas, interruptores, tomacorrientes, llaves termomagnéticas	U, caja
Accesorios en general	Clavos, pernos, tornillos, rodelas, remaches, bisagras	lb, Kg
Encofrados prefabricados	Tableros	U, m² x tiempo

Como podemos observar, un mismo producto puede ser medido de diferentes maneras. Si bien a primera vista esto resultaría un tanto ontradictorio, existen ocasiones específicas en las que es mucho más encillo dirigir la obra y gestionar un proyecto si hacemos uso de una medida distinta a la que el estudio científico plantea.

Retomemos el ejemplo de las barras de acero. Si bien para el cálculo estructural es lo más cómodo usar kg, al momento de enviar el pedido al proveedor, es más aconsejable el utilizar múltiplos más generosos, por tal razón es comúnmente utilizado el quintal, teniendo en cuenta también que buscaremos siempre la posibilidad de realizar el pedido en grandes cantidades para beneficiarnos de los precios por compra en volumen.

Por otro lado, si nos encontramos en la dirección de obra, resulta totalmente impráctico el ordenar a un obrero el realizar el corte de las piezas de acero de acuerdo con su masa en kg, por lo cual, es necesario que se utilice el número de barras y su longitud como unidad de medida.

Por estos motivos, es necesario que tengamos en la memoria las diferentes maneras de computar un mismo material y sus distintas equivalencias, de modo que podamos realizar las transformaciones necesarias de manera inmediata.

Cantidad de material requerido para el rubro

La clave para el exitoso cálculo presupuestario de un rubro radica en la correcta asignación de las cantidades adecuadas de materiales para su ejecución, de manera que el personal de obra pueda ser provisto adecuadamente de los insumos necesarios para que realice un trabajo fluido y sin interrupciones.

Además, del volumen de material descrito al interior del rubro de penderá íntegramente la cantidad global reflejada en el presupuesto de manera que el volumen total deberá cubrir todos los eventuales escenarios que comúnmente aparecen durante la construcción de un proyecto.

Como ya lo analizamos anteriormente, deberemos estudiar los materiales necesarios de acuerdo con la unidad de cálculo del rubro. Pero, debido a que estaremos haciendo uso de unidades similares al interior del análisis, es conveniente realizar las diferenciaciones correspondientes.

La unidad en la que se presupuesta un rubro se denomina **"Unidad de Obra"**, por ejemplo, estaremos analizando un rubro que calcula el costo de 1 metro cuadrado de pintura en mamposterías. Por lo tanto, la unidad de obra del rubro de pintura es el m².

Las unidades en las que se miden los insumos al interior del rubro se denominan **"Unidades de Cotización"**. Siguiendo el mismo ejemplo, la pintura de esmalte requerida para el rubro de pintura en mamposterías estará cotizada por galón (gal). Por lo tanto, la unidad de cotización de la pintura de esmalte presente dentro del rubro es el gal.

Llevando los ejemplos al cálculo detallado, a continuación, analizaremos las cantidades de insumos calculadas en sus unidades de cotización específicas.

en algunos casos, el cálculo del material es sumamente sencillo, en especial si hacemos uso de rubros auxiliares como veremos más adelante. De cualquier manera, el análisis requiere de conocer las presentaciones de cada material y sus rendimientos respectivos nformación que por lo general se encarga de proveerla el propio fabricante.

Realicemos primeramente el cálculo de material para el rubro de pintura cuya unidad de obra para su presupuestación es el m^2.

De acuerdo con las características mostradas por el fabricante, el producto distribuido en presentaciones de 1 gal tiene un rendimiento de 12 m^2. Es decir, para un m^2 necesitaremos 1/12 de galón, lo cual equivale a 0.083 gal. SI sabemos además que el desperdicio promedio del rubro ronda el 3%, restará únicamente agregar este porcentaje al rubro, con lo cual obtendremos un total de 0.085 gal/m^2.

12 m^2= 1 gal de pintura
1 m^2= 1/12 gal= 0.083 gal
1 m^2= 0.083 + 3% de desperdicio
Material= 0.085 gal/m^2

Existen rubros cuyo cálculo es mucho más sencillo. Supongamos que debemos presupuestar el material para recubrir con cerámica un piso calculado por m^2 como unidad de obra.

Dado que las unidades de obra y de cotización del material son las mismas (m^2), resultará evidente que para recubrir 1 m^2 de piso se requerirá 1 m^2 de cerámica. En este caso, simplemente bastará con adicionar el porcentaje de desperdicio del material.

1 m^2 de piso recubierto= 1 m^2 de cerámica
1 m^2= 1 + 5% de desperdicio
Material= 1.05 m^2

Sin embargo, debido a que la cerámica puede ser presupuestada además por cajas, necesitaremos conocer la superficie de materia que viene empacada en dicha presentación, en el caso de que deseemos calcular el material usando la caja como unidad de cotización.

Dependiendo del tamaño de la cerámica y de la cantidad de baldosas incluidas en la presentación, la superficie de material por caja variará. Supongamos que cada caja contiene 0.55 m². Por lo tanto, podremos concluir que para recubrir 1 m² de piso, requeriremos 1.82 cajas de la cerámica de la presentación cotizada a la cual la añadiremos el porcentaje de desperdicio correspondiente.

0.55 m² de cerámica= 1 caja

1 m²= $1 / 0.55$ cajas

1 m²= 1.82 cajas + 5% de desperdicio

Material= 1.91 cajas

Por supuesto, será necesario agregar a la lista de materiales del rubro, aquellos que son requeridos para la preparación y finalización del trabajo, sin que correspondan por sí solos un rubro independiente. En el caso de la pintura, agregaremos las hojas de lija y el sellante de ser necesario; mientras que en el caso de la cerámica agregaremos el mortero hidráulico y la masilla para emporado. La cantidad de estos materiales deberá ser analizada bajo los mismos criterios anteriormente descritos.

Podemos detallar como conclusión, que la cantidad de material que añadiremos dentro de cada rubro medido en unidades de cotización, es la cantidad requerida para la elaboración de una unidad de obra del rubro correspondiente.

Respecto a los porcentajes de desperdicio que deberemos incorporar, podemos acotar, que no se puede establecer valores estandarizados, esto se debe a que dichos coeficientes dependerán de factores ligados a la calidad del material empleado, a la experiencia del personal en obra, entre otros. Estos factores, al combinarse durante la ejecución de los trabajos, resultan en valores diferentes para cada caso; por lo mismo, el constructor deberá establecer los porcentajes de desperdicio de material de acuerdo con las características propias del proyecto en ejecución.

Sin embargo, existen rubros que requieren que se aplique sobre ellos ciertos coeficientes, ya sea para optimizar sus valores llevándolos a sus resultados reales o para facilitar el análisis del material requerido, en caso de que este sea producto de la combinación de otros.

Imaginemos el caso de un rubro que calcula el costo del relleno compactado para el mejoramiento de la resistencia de un suelo natural calculado por metro cúbico (m³). El relleno será realizado con el material señalado por la fiscalización y compactado de acuerdo con las especificaciones entregadas también por ellos.

Empezaremos por realizar el análisis rápido que indica que para ejecutar 1 m³ de relleno requeriremos 1 m³ de material. Sin embargo, como este deberá ser compactado, la cantidad necesaria de material será mayor de acuerdo con un porcentaje que es propio de cada elemento.

Por otro lado, vamos a suponer que deseamos calcular el material para construir una estructura de hormigón medida por m³.

Si bien podemos afirmar que el material necesario sería 1 m³ de hormigón más un porcentaje de desperdicio, debemos considerar que el hormigón está a su vez conformado por el aglomerante más los agregados y el agua, por lo que necesitaremos saber las cantidades requeridas para conformar 1 m³ del hormigón señalado.

Estos son tal vez los dos casos más frecuentemente encontrados en la actividad constructiva, por lo cual, a continuación, los analizaremos con mayor profundidad, de manera que los conceptos puedan ser replicados para otros rubros en condiciones similares.

Factor de esponjamiento

Entre los errores más comunes que los presupuestadores novatos suelen cometer durante la planificación de los trabajos de movimientos de tierras, se puede mencionar la omisión Del cambio volumétrico que los materiales sufren al ser excavados o compactados. Esto resulta en considerables pérdidas monetarias producto de las variaciones que pueden alcanzar hasta un 50% del volumen en los rubros de excavaciones y transporte.

Todo terreno presenta varias características propias del material del que esté conformado, como la densidad, humedad, porosidad, peso específico, entre otras. Cuando estas características son alteradas Se producen variaciones en el volumen que el material presenta.

Dichas variaciones producen un cambio en la compactación natural del suelo; por lo tanto, al momento de ser excavado, este presentará un volumen mayor, y de la misma manera, un suelo suelto no podrá ocupar con facilidad el mismo volumen del área que fue

xtraído, por lo que en la mayoría de los casos existirá un volumen
xtra de material excavado.

Podemos definir al factor de esponjamiento (FE) como el coefi-
iente por el cual esperamos que el volumen del material se vea incre-
nentado al ser excavado o removido. Por consiguiente, el factor de
ompactación (fc) es el coeficiente que indica la magnitud en la que
.n material puede ser compactado.

Supongamos el caso en el cual tenemos que realizar una excava-
ión que tendrá 1 metro de largo, ancho y profundidad (1m^3) en un
erreno conformado por un material X. En este caso el volumen de
naterial extraído se deberá multiplicar por el coeficiente del mate-
ial. Supongamos que dicho coeficiente es de 1.20; por lo cual, la
nedición del material será 1.20 m^3. Sin embargo, este volumen de
..20 m^3 no podrá ser colocado nuevamente en su sitio original debi-
lo a que ahora ha perdido su compactación natural, por lo cual, se
onsiderará **"Suelo Suelto"**.

Supongamos ahora que debemos rellenar la excavación anterior
:on el mismo material excavado, para lo cual haremos uso del co-
:ficiente de compactación del material X, el cual supondremos en
.n valor de 1.1. el volumen de material requerido corresponderá al
/olumen a rellenar multiplicado por el factor de compactación, por
o tanto, requeriremos de 1.1 m^3 de material.

En la Tabla 11 se presentan los factores de esponjamiento y com-
)actación promedio más utilizados.

Tabla 11: Coeficientes de esponjamiento y compactación.

Tipo de Suelo	Factor de esponjamiento (fe)	Factor de compactación (fc)
Suelo sin cohesión excavados a pala, tierra arable y arenas	1.15	1.05
Suelo de poca cohesión aflojados a pala de punta, tosca blanda, arena mojada, arcilla	1.25	1.10
Suelos de mucha cohesión aflojados a pico, toscas duras, margas y arcillas pegajosas	1.30	1.15
Suelos muy duros, aflojados a pico y barreta, rocas blandas, esquistos duros y rocas desmoronables	1.40	1.20
Suelos durísimos, aflojados con barreta y explosivos, rocas duras compactas	1.50	1.25

Fuente: Manual de Cómputos y Presupuestos, Mario E. Chandías - José M. Ramos

Es importante aclarar, que los datos aquí presentados pueden mostrar variaciones debido a las propiedades de los suelos en cada región, Por lo tanto, cuando se vayan a realizar movimientos de tierra de gran envergadura, se recomienda realizar los estudios necesarios a fin de encontrar los factores de esponjamiento propios de terreno, para así lograr mediciones más precisas.

Volumen de materiales por metro cúbico de hormigón

El volumen de material que se requiere para conformar un m^3 de hormigón, requiere especial atención debido a las cantidades específicas que habrán de incorporarse a la mezcla, a fin de lograr la resistencia necesaria.

Además, debido a los altos costos del material y los grandes volúmenes involucrados, los rubros de estructuras de hormigón pueden llegar a constituir por sí solos alrededor de un 25% del costo total de la obra.

Para presupuestar el costo por m^3 del hormigón, procederemos a obtener el volumen individual de cada uno de sus componentes, teniendo en cuenta que la sumatoria de dicho volumen será siempre mayor a una unidad. Esto se debe al tamaño que presenta cada uno de los componentes, es decir, el espacio libre entre el agregado grueso es ocupado por el agregado fino, y a su vez, el espacio restante entre el agregado fino será ocupado por el agua; dando como resultado que la sumatoria de los volúmenes parciales de cada insumo sea superior a 1 m^3.

En la Tabla 12 y 13 se presentan los volúmenes de material necesarios promedio para la fabricación de 1 m^3 de hormigón y de mortero en sus diferentes dosificaciones.

Tabla 12: Volumen de Material en Hormigón (Agregado de 19mm).

F'C (KG/CM^2)	Dosificación	Cemento (Kg)	Agregado fino (m^3)	Agregado Grueso (m^3)	Agua (m^3)
140	1:2:4	327.00	0.54	0.65	0.23
160	1:2:3.5	344.00	0.44	0.77	0.21
180	1:2:3	362.00	0.48	0.72	0.22
210	1:2:2	418.00	0.55	0.55	0.23
245	1:1.5:2.5	434.00	0.43	0.72	0.21
270	1:1.5:2	480	0.47	0.63	0.22
290	1:1.5:1.5	532	0.53	0.53	0.23
303	1:1.5:1.5	526	0.52	0.52*	0.22

* Se utilizará agregado grueso de 39mm

Tabla 13: Volumen de Material en Morteros.

Dosificación	Cemento (Kg)	Arena (m^3)	Agua (m^3)
1:2	617.00	0.66	0.23
1:3	463.00	0.75	0.23
1:4	370.00	0.80	0.23
1:5	308.00	0.83	0.23

Las características propias de calidad y resistencia de los diferentes componentes del hormigón no permiten que se pueda disponer de unos valores de resistencia estandarizados. Es responsabilidad del constructor el realizar las pruebas y mediciones en campo correspondientes a fin de garantizar la resistencia del hormigón antes de ser vaciado.

Peso de las barras de acero

Dentro de un presupuesto de obra, las barras o varillas de acero representan un alto porcentaje del total, por lo mismo, es aconsejable tener especial cuidado con los rubros destinados a su estudio. Sin embargo, al ser un material prefabricado, este presenta valores constantes que nos permiten calcular la cuantía real de la estructura de forma sencilla.

Las barras de acero presentan características estándar de peso, dimensión, resistencia, entre otras. En la Tabla 14 se presentan las características principales de estas de acuerdo con los diámetros nominales más comunes en el mercado.

Como ya se había mencionado anteriormente, en el mercado, las barras de acero se comercializan por unidades o por su peso en quintales, de ser este el caso, podemos hacer las transformaciones requeridas de acuerdo con la información detallada en la Tabla 15 y 16.

Es responsabilidad del presupuestador, el asegurarse de que las características del material cotizado sean las adecuadas de acuerdo con las especificaciones requeridas para el proyecto, por lo cual, se recomienda en todos los casos, solicitar formalmente las características técnicas necesarias al fabricante.

Tabla 14: Propiedades de las Barras de Acero FY = 4200 kg/cm2.

Diámetro nominal	mm	8	10	12	14	16	18	20	22	25	28	32
Área	cm2	0.5027	0.7854	1.131	1.5394	2.0106	2.5447	3.1416	3.8013	4.9088	6.1575	8.0425
Perímetro	cm	2.5133	3.1416	3.7699	4.3982	5.0266	5.6549	6.2832	6.9115	7.8540	8.7965	10.0531
Masa	kg/m	0.395	0.617	0.888	1.208	1.578	1.998	2.466	2.984	3.853	4.834	6.313

Tabla 15: Masa de una Barra.

Diámetro nominal	mm	8	10	12	14	16	18	20	22	25	28	32
de 6 m	kg	2.37	3.702	5.328	7.248	9.468	11.988	14.796	17.904	23.118	29.004	37.878
de 9 m	kg	3.555	5.553	7.992	10.872	14.202	17.982	22.194	26.856	34.677	43.506	56.817
de 12 m	kg	4.74	7.404	10.656	14.496	18.936	23.976	29.592	35.808	46.236	58.008	75.756

Tabla 16: Número de Barras en 45,36 kg (1 Quintal).

Diámetro nominal (mm)	8	10	12	14	16	18	20	22	25	28	32
de 6 m	19.139	12.253	8.514	6.258	4.791	3.784	3.066	2.534	1.962	1.564	1.198
de 9 m	12.759	8.169	5.676	4.172	3.194	2.523	2.044	1.689	1.308	1.043	0.798
de 12 m	9.57	6.126	4.257	3.129	2.395	1.892	1.533	1.267	0.981	0.782	0.599

Cálculo del Costo del material

Como hemos analizado a lo largo de este capítulo, los materiales tienen varias características dentro de un presupuesto de construcción, las cuales pueden ser fijas como el rendimiento, o variables como el costo de la unidad de cotización. De todas estas características, así como del análisis que hayamos elaborado, dependerá el costo total de los insumos del rubro.

Imaginemos que deseamos presupuestar el costo del rubro de mampostería de bloque cuy a unidad de obra es el m². Una vez analizados todos los pormenores, hemos concluido que requeriremos 13 unidades (U) de bloque y 0.03 m³ de mortero.

La obtención del costo estará ligada, por lo tanto, al precio unitario de los insumos anteriormente mencionados. Para dicho ejemplo, hemos cotizado que el costo de la unidad de bloque es de 0.36 USD, mientras que la unidad de m³ de mortero es de 110 USD.

De estos precios unitarios podemos calcular el costo del total del material dentro del rubro, para lo cual, deberemos obtener el producto de la cantidad del material por el precio unitario. El costo de los materiales del rubro será la sumatoria del costo de los elementos incluidos dentro de este.

Podemos analizar los cálculos requeridos en la Tabla 17.

Tabla 17: Costo del material en un rubro.

Descripción	Cantidad (A)	Unidad	Precio Unitario (B)	Costo (AxB)
Bloque	13	U	0.36	4.68
Mortero	0.03	m³	110	3.3
			Subtotal	7.98

Existen rubros que serán de uso casi obligatorio en toda obr de construcción, sin embargo, muchos otros serán requeridos ún camente en relación con el tipo de construcción que estemos prest puestando. Vamos a imaginar dos proyectos en contraposición, par los cuales analizaremos dos rubros similares.

El primer proyecto es una vivienda de interés social, el cual busc mantener los costos tan bajos como sea posible, mientras que el se gundo se trata de una vivienda de lujo con un presupuesto holgado

Sin importar la diferencia de presupuestos, ambas viviendas re querirán del rubro de hormigón estructural, haciendo uso por lo tan to de exactamente la misma cantidad y dosificación de los materiales Sin embargo, cuando analizamos el rubro de equipamientos para lo cuartos de baño, nos encontraremos con el escenario de que el rubr para lavamanos del primer proyecto hará uso de un equipamiento d bajo costo al igual que las griferías, mientras que el segundo proyec to requerirá del cálculo del mismo rubro, pero utilizando equipos grifería de alta gama.

Por lo mismo, los rubros de grifería que tengamos almacenados er nuestra base de datos deberán presentar las variaciones correspon dientes, de manera que el presupuestador simplemente reemplace ur rubro por otro más adecuado, sin la necesidad de modificar su base de rubros para cada análisis de costos.

Para este caso en concreto, el presupuestador deberá incluir en su base de datos el rubro de lavamanos y grifería importada de alta gama, además del rubro de lavamanos y grifería económica, por sugerir alguna denominación.

Un presupuestador profesional irá construyendo con el paso del tiempo una base de datos de rubros generosa, de manera que pueda ejecutar un estudio de costos sin importar el prototipo de proyecto al que este corresponda.

A manera de recomendaciones para el cálculo presupuestario, es importante señalar que los costos de los insumos son variables, es decir, estos reaccionan de acuerdo con el estado del mercado, además del volumen de compra que vayamos a realizar, es por eso que se torna indispensable el realizar nuestros estudios de costos haciendo uso de tablas dinámicas o de cualquier herramienta digital especializada en el cálculo presupuestario, misma que nos permita actualizar los costos de manera rápida y eficiente.

La negociación de precios es una parte fundamental dentro del cálculo de presupuestos. Es indispensable, que el presupuestador vaya construyendo con el paso del tiempo, una lista de proveedores de su total confianza, los cuales le brinden la seguridad necesaria en el despacho de los materiales en los precios y plazos acordados.

Se recomienda también, que el presupuestador actualice con cierta frecuencia sus tablas de costos de insumos, de manera que pueda no solamente estar listo para realizar un presupuesto en el momento que se le solicite, sino también sea capaz de analizar los precios históricos de elementos clave dentro de la construcción, con el objetivo de que pueda relacionar dichos análisis con el estado del mercado.

Es muy común que los constructores aprovechen los momentos en los cuales un insumo, por diferentes razones, se encuentra en un precio bajo, momento que le brinda al presupuestador la oportunidad de adquirirlo a un mejor precio del que debería pagar en condiciones normales para así poder almacenarlo. Esta práctica resulta ventajosa en el caso de que el constructor se haya ido especializando en un tipo de obra, por lo cual, tiene unos requerimientos predecibles, de manera que puede adelantarse a sus competidores para almacenar insumos que después le permitan ofrecer precios más competitivos o simplemente aumentar su margen de utilidad.

A pesar de que ya se había explicado en el capítulo anterior, es oportuno recordar, que dentro de las listas de insumos deberán incluirse únicamente aquellos que correspondan exclusivamente al rubro en análisis. Cualquier otro material o actividad que se requiera puede presupuestarse ya sea en otro rubro o en los costos indirectos del proyecto. En el caso, por ejemplo, del constructor que ha realizado una compra de oportunidad al aprovechar un bajo precio en el mercado, el costo de almacenaje no deberá ser grabado al precio unitario del material, este más bien corresponderá a un costo indirecto por bodegaje.

Rubros auxiliares

Como lo observamos anteriormente, es bastante habitual que se requiera ingresar en el rubro un insumo que a su vez sea el resultado de la elaboración previa de una tarea, como en el caso de los morteros o el hormigón en sus diferentes dosificaciones.

Es por este motivo, que dentro de un APU es bastante común el uso de los rubros auxiliares. Un **"Rubro Auxiliar"** es un sub rubro, el cual es ingresado al presupuesto como si se tratase de un insumo, pero en su interior engloba los componentes requeridos para el cálculo de un elemento específico, en una categoría concreta.

El uso de rubros auxiliares tiene dos objetivos principales. En primer lugar, busca agilitar el análisis de costos por parte del presupuestador, permitiéndole agregar, eliminar o modificar los insumos de un rubro o conjunto de ellos de manera rápida. Además, permite incorporar un conjunto de insumos sin necesidad de que realicemos el cálculo de cantidades manualmente, como lo detallaremos más adelante.

Para estudiar estos conceptos, retomemos el ejemplo en el cual analizamos un rubro de mampostería calculado por m², pero con la complejidad adicional de que requeriremos el uso de dos tipos de morteros, que serán destinados para las tareas de pegado de bloque y enlucido.

Este análisis puede ser ejecutado tanto mediante el uso de los rubros auxiliares correspondientes, como mediante la desagregación de los materiales vinculados a los morteros.

Analicemos los insumos requeridos primeramente mediante la desagregación de los materiales que conforman la unidad de cotización.

Dentro del rubro, se había detallado como unidades de cotización para los morteros al m³. Vamos a suponer que, debido a las condiciones del proyecto, requeriremos 0.02 m³ de mortero 1:2, y 0.03 m³ de mortero 1:3.

Para desagregar los componentes de los morteros requeridos para el rubro, podemos hacer uso de la Tabla 13 anteriormente presentada, de donde podemos obtener los datos necesarios para la elaboración de 1 m³ de mortero.

Debido a que las cantidades de mortero para el rubro son de 0.02 y 0.03 m³, deberemos primeramente multiplicar estos valores por cada uno de los materiales a desagregar, para solamente después ingresarlos en el rubro.

Para el mortero 1:2 obtendremos:

Cemento= 617 x 0.02= 12.34Kg
Agregado fino= 0.66 x 0.02= 0.01 m³
Agua= 0.23 x 0.02= 0.01 m³
Para el mortero 1:3 obtendremos:
Cemento= 463 x 0.03= 13.89 Kg
Agregado fino= 0.75 x 0.03= 0.02 m³
Agua= 0.23 x 0.03= 0.01 m³

Por supuesto, deberemos ingresar estos valores en cada uno de los rubros que requieran dichas dosificaciones de morteros. Se debe tener en cuenta también, que en caso de que necesitemos cambiar la dosificación del mortero, deberemos ejecutar los cálculos nuevamente, para después realizar las modificaciones en todos los rubros que así lo requieran.

La segunda manera de ejecutar el cálculo de este APU se logra mediante la implementación de los rubros auxiliares correspondientes para cada tipo de mortero requerido. En este caso, deberemos establecer las cantidades fijas de insumos requeridas para ejecutar una unidad de cotización, de manera que estos valores interactúen directamente con las otras características de la categoría como la cantidad y el precio.

Una vez que los auxiliares han sido previamente establecidos en rubros independientes, se los ingresa directamente al estudio como si se tratase de insumos convencionales. Dentro del rubro, se detallarían haciendo uso de la cantidad solicitada para la unidad de obra de manera directa, así:

Auxiliar Mortero 1:2= 0.02 m^3
Auxiliar Mortero 1:3= 0.03 m^3

Al presentar el rubro haciendo uso de un auxiliar, este deberá ser agregado a la lista de rubros del presupuesto, detallando en él la cantidad de cada uno de los insumos y calculando su costo total. Pero, a pesar de ello, cuando tenemos gran cantidad de rubros que requieren de los mismos insumos, este mecanismo nos ayuda a entender las diferencias entre tareas.

Como podemos observar, los resultados serán iguales al emplear cualquiera de los dos mecanismos de cálculo, sin embargo, al desagregar los insumos al interior del rubro, el análisis resulta más complejo y se torna difícil saber de manera rápida el tipo de elemento que deseamos elaborar. La dificultad incluso se ve incrementada, al momento en que debamos realizar cambios en las dosificaciones cantidades del conjunto de insumos.

Si tenemos en cuenta que en un presupuesto nos encontraremc con una enorme variedad de rubros, los cuales harán uso del mism tipo de mortero, expresar los análisis con una cantidad de informa ción menor es más prudente; de modo que permita ejecutar un aná lisis más rápido, además de que brinde una comprensión inequívoc sobre el insumo que se busca presupuestar.

Es necesario insistir, en que un rubro auxiliar se encarga de calcu lar un solo insumo en específico en una sola categoría dentro del pre supuesto. Por ejemplo, un rubro auxiliar es el hormigón f'c= 210 kg cm² o el mortero 1:3, los cuales contendrán en su interior el estudi de sus materiales para una unidad de cotización. En caso del hormi gón, almacenará las cantidades y costos respectivos del aglomerante los agregados y el agua, arrojando el costo total de los mismos, com si se tratase del costo de un insumo individual.

El uso de rubros auxiliares es extremadamente útil. Imaginemo que elaboramos una lista para los hormigones con resistencias (f'c 180, 210, 240, 260, 290, 300, entre otros, de manera que, al agre garlos al rubro principal, sea completamente claro el objeto de estu dio de las tareas listadas, y su incorporación y modificación result rápida.

Comparemos el mismo rubro correspondiente al ejemplo desa rrollado en esta sección, presentado tanto con la implementación de los auxiliares correspondientes, como ejecutando la desagregació de materiales, como se puede observar en la tabla 18.

Tabla 18: Comparativa de rubros auxiliares y rubros con desagregación de materiales.

Diseño de rubros auxiliares				Diseño de rubros con desagregación de materiales		
Descripción	Cantidad	Unidad		Descripción	Cantidad	Unidad
Bloque	13	U		Bloque	13	U
				Cemento	12.34	kg
Aux. Mortero 1:2	0.02	m³	Vs.	Arena	0.01	m³
				Agua	0.01	m³
Aux. Mortero 1:3	0.03	m³		Cemento	13.89	kg
				Arena	0.02	m³
				Agua	0.01	m³

La manera de presentar la información en el primer caso, permite que la comprensión del objeto de estudio del rubro sea mucho más clara, además de que nos permitirá realizar modificaciones de manera rápida; mientras que al desagregar los materiales nos vemos obligados a realizar los cálculos correspondientes a fin de conocer la dosificación, en caso del ejemplo planteado.

A pesar de que se pueden utilizar rubros auxiliares para todas las categorías, el uso de ellos se recomienda principalmente para el estudio de los materiales, ya que los cambios específicos dentro de las categorías de mano de obra y herramientas presentan demasiadas variaciones, lo cual minimiza la utilidad de esta técnica, como lo veremos a lo largo de los siguientes capítulos de este libro.

Capítulo 3. Mano de Obra

Una de las categorías más complejas para analizar dentro del estudio presupuestario de un rubro, está constituida por la mano de obra. Su complejidad radica en los cambios en los parámetros que deberán ajustarse de acuerdo con las condiciones específicas que se presentan en cada proyecto y que muy extraordinariamente se repiten de manera íntegra.

Entenderemos como **"Mano de Obra"**, al recurso humano que se encarga exclusivamente de la construcción del proyecto, es decir, el personal que ejecuta la tarea descrita en el rubro. Si bien es cierto que en una obra se contará con los responsables de las tareas de vigilancia, bodegaje, gerencia, entre otros, este personal de apoyo no se considera parte de la mano de obra ya que sus actividades no intervienen de forma directa en la ejecución de las tareas.

El costo total de la mano de obra dentro de un presupuesto, dependiendo del tipo de proyecto, puede alcanzar entre el 15% y el 30% del total. Incluso la incidencia será superior en el caso de ciertos contratos en los cuales se requiere realizar trabajo mayormente manual, o en los contratos de prestación exclusiva de estos servicios, donde el presupuesto íntegro estará ligado al costo de los obreros.

Las buenas prácticas profesionales, en busca de garantizar nuestra actividad laboral al largo plazo, exigen que el constructor sea capaz de cumplir los plazos ofertados manteniéndose dentro del presupuesto establecido. Para que esto se pueda cumplir, habremos de ir obteniendo con el transcurso del tiempo una serie de proveedores que faciliten nuestras actividades, como ya lo analizamos en el Capítulo 2, pero principalmente, será necesario Que contemos con un equipo de trabajo calificado, responsable y que comparta los objetivos y metas del constructor.

Un equipo de trabajo que no cumpla con dichas cualidades, no le dará al constructor la estabilidad suficiente como para involucrarse en grandes proyectos, ya que este no tendrá la certeza de contar con el personal adecuado para llevar a cabo satisfactoriamente una obra.

Como ya podemos previsualizar, los obreros son el insumo más importante dentro de un proyecto, ya que dan paso al desarrollo de los trabajos de construcción de manera tan fluida como lo permita la apropiada gerencia del director de obra o constructor. Mientras que en otras categorías se puede optar por un cambio a último momento, en la mano de obra se requiere tener un personal fijo a disposición, del cual podamos conocer su estilo de trabajo y sus habilidades específicas.

Si bien es cierto que en todo proyecto surgen inconvenientes, los cambios repentinos en las cuadrillas generan retrasos que repercuten en el costo de las actividades. De la misma manera, un obrero que no cuente con la experiencia requerida, no alcanzará las metas planteadas para Cumplir con el objetivo general.

Nuestra responsabilidad como constructores será siempre brindar las mejores condiciones de trabajo para nuestros dependientes, e manera que se pueda mantener el personal de calidad en el largo plazo. Para esto, deberemos observar siempre que los obreros reciban todos sus beneficios de ley, así como seguridad en su entorno de trabajo y un ambiente laboral favorable. Estas buenas condiciones e permitirán al trabajador no solamente contar con una estabilidad aboral adecuada, sino también con una mentalidad positiva al ver us metas personales cumplidas.

debemos entender que, en todos los niveles del personal participante en la construcción, la meta común es el crecimiento profesional, por lo cual, el progreso de nuestros empleados será una señal nequívoca del nuestro.

A lo largo de este capítulo estaremos analizando las metodologías más adecuadas para organizar el personal de obra, así como el grado de exigencia que debe ser demandado a los mismos, a fin de que podamos planificar de manera realista los tiempos de trabajo que se presentarán durante la ejecución del proyecto y los costos correspondientes.

Los resultados de esta categoría determinarán también el correcto estudio de los costos de la herramienta, ya que esta se evalúa tomando como base al análisis realizado para el personal de obra, como lo veremos en el Capítulo 4.

Adicionalmente, el apropiado análisis de los recursos humanos permitirá un correcto estudio de los costos indirectos, como lo analizaremos en el Capítulo 6, ya que el buen desarrollo del proyecto dependerá también de un apropiado equipo de control de obra, el cual se asigna a partir del volumen de obreros presentes en el proyecto.

Equipos de trabajo

Dentro de un proyecto de construcción, nos veremos en la necesida de ejecutar una grande y variada lista de tareas de diversa índole, la cuales requerirán de personal con conocimiento específico en cierta actividades. El éxito de la correcta ejecución de los trabajos estará re lacionado con la buena organización que podamos hacer del persona

Para esto, deberemos no solamente encontrar a los obreros adecuado con suficientes conocimientos en la actividad, sino también, conforma equipos de trabajo en los cuales cada integrante sea capaz de complemer tar las habilidades de sus compañeros. Un equipo estará organizado po jerarquías, donde el obrero con más conocimiento y experiencia delegu las tareas menos críticas a los obreros dispuestos a su cargo.

De la misma forma, los equipos estarán bajo control del persona calificado, que cuente con los conocimientos necesarios con el objet de que puedan gestionar los grupos de trabajo de manera eficiente segura.

Los equipos conformados por varios obreros, que tienen por ob jetivo el complementar sus actividades de manera que puedan encar garse de ejecutar una tarea, se denominan **"Cuadrillas"**.

El director de obra será el encargado de conformar las cuadrilla de acuerdo con los conocimientos y la experiencia de los obreros organizando tantos equipos como sean requeridos, de manera qu cada cuadrilla se ocupe de ejecutar las tareas asignadas, siempre baj la supervisión del encargado correspondiente.

Cada constructor o empresa tiene su propia manera de organizars en relación con su capacidad financiera y sus necesidades. Mucho contratistas tienen un responsable al mando de la obra, el mismo que tiene gran experiencia en la construcción, a este obrero lo denominamos **"Maestro Mayor de Ejecución de Obra"**. Sobre él recae la responsabilidad de la buena ejecución de los trabajos, de manera que el constructor pueda enfocarse en la toma de decisiones administrativas.

Por otra parte, las empresas que por la magnitud de sus proyectos requieren más personal de control, suelen contar con encargados denominados **"Residente de Obra"** y **"Director de Obra"**, quienes son profesionales con conocimientos técnicos y científicos y están encargados de coordinar el proyecto entero. Todas estas maneras de organización del personal dependen exclusivamente de las condiciones y de los recursos humanos de los que disponga el constructor o empresa constructora.

Es necesario reiterar, que las cuadrillas se enfocarán en un tipo específico de trabajo, en el cual se irán especializando con el paso del tiempo. La organización de dichas cuadrillas, así como la cantidad de integrantes, estarán ligadas a las condiciones propias de la tarea requerida.

Será necesario organizar, por ejemplo, cuadrillas específicas para trabajos de albañilería, electricidad, plomería, entre otras. La jerarquía dentro de la cuadrilla debe estar claramente señalada, de manera que el encargado de la obra pueda exigir resultados y señalar responsabilidades.

Dentro del personal de obra podemos definir dos tipologías de acuerdo con la actividad que estos desarrollarán. Tenemos en primer lugar a los **"Ejecutores"**, quienes pueden definirse como el personal dedicado a la construcción o ejecución de la tarea, entre ellos podemos mencionar a los albañiles, electricistas, carpinteros, entre otros. Este concepto será de gran utilidad en el análisis de la herramienta en el Capítulo 4 de este libro.

Por otra parte, tenemos a los **"Supervisores"**, quienes son los encargados de dar las directrices para la ejecución de la tarea, además de controlar y garantizar el trabajo de las cuadrillas, colaborando en ella solamente cuando sea estrictamente necesario. Podemos mencionar aquí al maestro mayor de ejecución de obra.

La organización que el constructor acostumbre a llevar en la obra deberá verse reflejada en el diseño del rubro, detallando la diferenciación entre personal de ejecución y personal de control. En caso de que el maestro mayor esté presente de manera esporádica en la supervisión de las tareas, su presencia en el cálculo de un rubro deberá ser limitada, lo cual se expresa en su cantidad porcentual asignada dentro del análisis de precios.

En caso, por ejemplo, de que la cuadrilla deba ejecutar una tarea que requiere de la presencia permanente del maestro mayor, el rubro mostrará el valor por la cantidad total del supervisor, mientras que en una tarea de pintura en la cual el maestro mayor únicamente supervisará la ejecución en momentos específicos, se le asignará al supervisor un porcentaje de la cantidad total calculada para el rubro. Este concepto se emplea más adelante en las Tablas 20 – 30, donde se señala el rendimiento promedio de las cuadrillas.

De igual manera, la presencia del supervisor puede expresarse en el rubro mediante un porcentaje del tiempo de desarrollo calculado para la tarea, si de esta manera el presupuestador consigue una mejor comprensión de sus actividades.

Estos mecanismos de organización del personal y su análisis del costo, representan únicamente algunas de las tantas maneras en las cuales los constructores disponen del trabajo en obra, sin embargo, cada presupuestador desarrollará los análisis respectivos mediante los mecanismos que le permitan representar el trabajo de sus obreros.

En la Tabla 19 mencionaremos el personal de obra más común en la ejecución de un proyecto.

Tabla 19:Personal de obra.

Especialización	Personal
Supervisión	Maestro mayor de ejecución de obra
Albañilería	Maestro Albañil
	Maestro Fierrero
	Maestro Carpintero
	Ayudante de albañilería
	Ayudante de carpintería
Electricidad	Maestro electricista
	Ayudante de electricidad
Plomería	Maestro plomero
	Ayudante de plomería
Construcción ligera	Maestro instalador de cartón yeso
	Ayudante de construcción ligera
Carpintería en aluminio y vidrio	Maestro aluminiero
	Maestro vidriero
	Ayudante de vidriería
Carpintería en madera	Maestro ebanista
	Ayudante de carpintería
Pintura	Maestro pintor
	Ayudante de pintura

Podemos detallar a manera de conclusión, que una cuadrilla es un equipo de trabajo encargado de ejecutar una tarea concreta, la cual está compuesta de obreros con diferentes habilidades y niveles de experiencia, los cuales se especializan en un tipo de obra, estando bajo las órdenes de un supervisor.

Rendimientos

Dentro de la categoría de mano de obra, utilizamos las **"Tablas de Rendimiento"** para expresar el tiempo que requiere una cuadrilla para ejecutar una unidad de obra del rubro en estudio.

Podemos entender el **"Rendimiento"** de un trabajador (o cuadrilla), como la cantidad de unidades de una tarea asignada Que este es capaz de realizar en una jornada (8 horas).

Para aplicarlo al rubro, deberemos obtener su inverso en **"Horas"**, que es el tiempo de trabajo necesario para realizar una unidad de la tarea asignada, mediante la siguiente fórmula:

Rendimiento= 8 / Unidades

Vamos a suponer que, Durante la jornada, los trabajadores han logrado completar 16 unidades de una tarea asignada. Al dividir las 8 horas de la jornada para las 16 unidades, concluimos que la cuadrilla requiere 0.5 Horas por cada unidad de la tarea.

R= 8 horas / 16 unidades

R= 0.5 h/u

Uno de los problemas más comunes para el director de una obra, onsiste en poder conformar cuadrillas de trabajadores optimizadas. Jn equipo que logre complementar las habilidades de cada uno de us miembros será más eficiente y presentará menor fricción durante us actividades.

Es necesario tener en cuenta, que el rendimiento de un trabajador 10 es fijo, existen muchas variables que condicionan su actividad, ntre ellas podemos mencionar:

²actor climático

²l clima es un factor determinante para el rendimiento de los traba-adores de la construcción. Debido a que gran parte de las tareas se jecutan en exteriores, la temperatura juega un papel decisivo, reper-:utiendo negativamente en el rendimiento de las cuadrillas.

En regiones donde se presentan estaciones con temperaturas ex-remas durante el año, la organización de las actividades es imperio-;a, buscando ejecutar las tareas en exteriores durante las estaciones nás templadas, para enfocarse en las tareas al interior durante las :staciones frías o calurosas.

²actor sociocultural

²s muy común que un constructor, al manejar personal de distintas ocalidades, note un mejor o peor rendimiento en un grupo de tra-)ajadores conformado netamente por personal de una región espe-:ífica.

Si bien cada individuo suele presentar una mayor o menor pre-lisposición a enfocarse en su trabajo, es normal que dentro de un

conjunto humano se evidencie una mentalidad de grupo, por lo cua
es recomendable conformar cuadrillas con trabajadores de distinta
localidades, a la vez que se fomente y se premie el trabajo ágil y res
ponsable.

Factor económico

Ligado con el punto anterior, una remuneración justa y puntual e
un buen incentivo para que el trabajador evidencie un buen rendi
miento.

Sin embargo, es siempre una buena práctica el estimular al perso
nal mediante el trabajo por objetivos, en donde se entregan bonifica
ciones económicas de acuerdo con una meta planteada.

Factor espacial

La eficiencia del personal requerirá de analizar el entorno en el qu
se habrán de desempeñar las actividades.

En las obras de construcción en las cuales el espacio es reduci
do, una cuadrilla con abundantes obreros podría llegar a ser contr.
producente. Cuando un volumen excesivo de personal desarrolla su
actividades en un espacio limitado, su rendimiento se ve afectade
debido a que las actividades se entorpecen, llegando incluso a qu
estas se tornen peligrosas.

Cronograma de trabajo

El rendimiento de la cuadrilla no es siempre el mismo. La fatiga acu
mulada y la psicología del trabajador dan como resultado un nivel d
rendimiento diferente durante el horario de trabajo.

Las horas cercanas al final del turno, así como los últimos días de la semana, evidencian un rendimiento más bajo en el personal, de la misma manera, las cotas de máximo rendimiento se evidencian entre semana y en horas de la mañana.

Experiencia y calificación

La gran mayoría del personal de la construcción está conformado por obreros con conocimiento empírico sobre la ejecución de una tarea, por lo cual, su experiencia en ella es vital dentro de la obra. Esto deriva en que el personal que se ha especializado en una sola tarea presente mejores tasas de rendimiento y calidad del producto.

Las empresas con gran capacidad constructiva suelen asignar a un obrero en específico para una actividad, buscando que su rendimiento mejore producto de su especialización en la misma.

Por todas las razones mencionadas, es imposible establecer un valor de rendimiento estándar. Se recomienda a los presupuestadores, que obtengan los rendimientos promedio de su personal de obra calculados durante una semana completa, de manera que se vean cubiertos la mayor cantidad de escenarios posibles.

Las Tablas 20 – 30 contienen un listado con los rubros para la construcción más utilizados, sus cuadrillas típicas detalladas en relación con su personal de albañilería (A), peones (P), maestros mayores (Mm) y obreros especializados (Obr. Esp.); así como los rendimientos promedio para dichas cuadrillas. Es importante aclarar, que el presupuestador deberá calcular los valores de rendimiento propios de su personal, ya que, dependiendo de las condiciones, los valores aquí señalados podrían presentar importantes variaciones.

Tabla 20: Rendimientos en rubros preliminares.

Rubro	Cuadrilla	Cantidad	Unidad / día	Rendimiento
Desbroce y limpieza a mano	2P+0.1Mm	60.0	m²	0.1333
Desbroce y limpieza con maquinaria	1P+1Mm	250.0	m²	0.0320
Desalojo de material con maquinaria	2P	64.0	m³	0.1250
Desalojo de escombros a mano	2P	3.5	m³	2.2857

Tabla 21: Rendimientos en rubros de movimiento de tierras.

Rubro	Cuadrilla	Cantidad	Unidad / día	Rendimiento
Replanteo	1P+1A+1Mm	200.0	m²	0.0400
Nivelacion de terreno a mano	2P+1A+1Mm	9.0	m³	0.8889
Excavacion a mano para plintos	2P+1A+1Mm	10.0	m³	0.8000
Excavacion a mano para cadenas	2P+1A+1Mm	12.0	m³	0.6667
Excavacion con maquinaria	1Mm	500.0	m³	0.0160
Relleno y compactacion a mano	3P+1Mm	8.0	m³	1.0000
Relleno y compactacion a maquina	1P+1A+1Mm	9.0	m³	0.8889

Tabla 22: Rendimientos en rubros de estructuras de hormigón.

Rubro	Cuadrilla	Cantidad	Unidad / día	Rendi- miento
Replantillo hormigon simple F'C=160kg/cm2	3P+1A+1Mm	4.0	m³	2.0000
Base de piedra para contrapiso E = 10 cm	1P+1A+1Mm	4.5	m²	1.7778
Contrapiso hormigon simple	3P+2A+1Mm	90.0	m²	0.0889
Loseta de vereda E=5cm	3P+2A+1Mm	90.0	m²	0.0889
Loseta de parqueadero e=10cm	3P+2A+1Mm	100.0	m²	0.0800
Hormigon simple en plintos	9P+4A+1Mm	12.0	m³	0.6667
Hormigon ciclopeo en plintos	9P+4A+1Mm	6.0	m³	1.333
Hormigon simple en cadenas	9P+4A+1Mm	10.0	m³	0.8000
Hormigon simple en columnas	9P+4A+1Mm	8.0	m³	1.0000
Hormigon simple en vigas	4P+2A+1Mm	3.0	m³	2.6667
Hormigon simple en entrepiso	8P+4A+1Mm	70.0	m²	0.1143
Hormigon simple en losa maciza	8P+4A+1Mm	72.0	m²	0.1111
Hormigon simple en gradas	3P+1A+1Mm	4.0	m³	2.0000
Hormigon simple en muros	8P+4A+1Mm	75.0	m²	0.1067

Hormigon simple en dinteles	1P+1A+0.1Mm	3.0	M3	2.6667
Hs 5cm sobre placa colaborante	8P+4A+1Mm	70.0	m²	0.1143
Hs 7cm sobre placa colaborante	8P+4A+1Mm	72.0	m²	0.1111
Refuerzo malla electrosoldada	1P+1A+0.5Mm	60.0	m²	0.1333
Acero de refuerzo 16 mm	1P+1A+1Mm	360.0	Kg	0.0222
Acero de refuerzo 14 mm	1P+1A+1Mm	340.0	Kg	0.0235
Acero de refuerzo 12 mm	1P+1A+1Mm	320.0	Kg	0.0250
Acero de refuerzo 10 mm	1P+1A+1Mm	320.0	Kg	0.0250
Acero de refuerzo 8 mm	1P+1A+1Mm	270.0	Kg	0.0296

Nota: Los rubros de hormigón requieren un ayudante de carpintería, el cual se ha incluido en las cuadrillas como peón.

Tabla 23: Rendimientos en rubros de mamposterías.

Rubro	Cuadrilla	Cantidad	Unidad / día	Rendimiento
Mamposteria bloque incluye acabados	2P+2A+0.1Mm	12.0	m^2	0.6667
Mamposteria bloque incluye enlucido	2P+2A+0.1Mm	13.0	m^2	0.6150
Mamposteria de bloque	2P+2A+0.1Mm	26.0	m^2	0.3077
Mamposteria bordillos de bloque	1P+1A+1Mm	11.5	m^2	0.6957
Mamposteria bordillos de ladrillo	1P+1A+1Mm	11.5	m^2	0.6957
Mamposteria ladrillo inc acabado	2P+2A+0.1Mm	10.5	m^2	0.7619
Mamposteria ladrillo inc enlucido	2P+2A+0.1Mm	11.5	m^2	0.6957
Mamposteria ladrillo	2P+2A+0.1Mm	20.0	m^2	0.4000
Meson de hormigon	1P+1A+0.1Mm	6.0	m	1.3333
Masillado de gradas	1P+1A+0.1Mm	8.0	m^2	1.0000
Masillado de contrapiso y losas	2P+2A+0.1Mm	20.0	m^2	0.4000
Enlucido horizontal	2P+2A+0.1Mm	14.0	m^2	0.5710
Enlucido vertical interior	1P+1A+0.1Mm	12.0	m^2	0.6670
Enlucido vertical exterior inc impermeabilizante	1P+1A+0.1Mm	11.0	m^2	0.7270
Enlucido fajas y filos	1P+1A+0.1Mm	20.0	m	0.4000
Impermeabilizacion de cubierta con chova	1P+1A+0.1Mm	20.0	m^2	0.4000

Impermeabilizacion de fajas	1P+1A+0.1Mm	40.0	m	0.2000
Picado y corchado de instalaciones	1P+1A+0.1Mm	18.5	m	0.4324
Pared cartón yeso simple	2 Obr esp.	36.0	m^2	0.2222
Pared cartón yeso doble	2 Obr esp.	32.0	m^2	0.2500
Pared fibrocemento	2 Obr esp.	35.0	m^2	0.2286
Meson fibrocemento	2 Obr esp.	20.0	m	0.4000
Meson fibrocemento revestido	2 Obr esp.	17.0	m	0.4706
Horno de calor envolvente	1p+1A+0.5Mm	0.5	U	16.0000
Parrilla de altura regulable	1p+1A+0.5Mm	1.0	U	8.0000

Tabla 24: Rendimientos en rubros de cubiertas y cielos.

Rubro	Cuadrilla	Cantidad	Unidad / día	Rendi- miento
Estructura de madera en alero	1P+1Carp	4.5	m²	1.7778
Estructura de madera para pergola	1P+1Carp	5.2	m²	1.5444
Estructura metalica para cubierta	1P+1Obr Esp.	5.5	m²	1.4440
Cubierta de policarbonato	1P+1Carp	20.0	m²	0.4000
Cubierta de teja vidriada	1P+1Carp	16.0	m²	0.5000
Cubierta de fibrolit	1P+1A+0.1Mm	11.0	m²	0.7273
Cubierta de fibrocemento	1P+1A+0.1Mm	18.5	m²	0.4324
Corchado de juntas de cubierta	1P+1A+0.1Mm	40.0	m	0.2000
Cielo raso suspendido	2Obr Esp.	20.0	m²	0.4000
Cielo raso de junta vista	2Obr Esp.	20.0	m²	0.4000

Tabla 25: Rendimientos en rubros de acabados.

Rubro	Cuadrilla	Cantidad	Unidad / día	Rendi- miento
Ceramica en pisos	1P+1Obr Esp.	30.0	m^2	0.2667
Ceramica en paredes	1P+1Obr Esp.	7.0	m^2	1.1420
Marmol en pisos	2P+1Obr Esp.	10.0	m^2	0.8000
Marmol en paredes	1P+1Obr Esp.	6.5	m^2	1.2308
Porcelanato en pisos	1P+1Obr Esp.	30.0	m^2	0.2667
Porcelanato en paredes	1P+1Obr Esp.	7.0	m^2	1.1420
Piso flotante textura madera	1P+1Carp	20.0	m^2	0.4000
Piso porcelanato exterior	1P+1Obr Esp.	30.0	m^2	0.2667
Piso madera exterior	2P+1Carp	20.0	m^2	0.4000
Piso madera interiores	2P+1Carp	11.0	m^2	0.7270
Piso decorativo para exteriores	1P+1Obr Esp.	8.0	m^2	1.0000
Adoquinado	1P+1A+1Mm	30.0	m^2	0.2670
Chaflan de filos de ceramica	1Obr Esp.	14.0	m	0.5714
Barredera de mdf	1P+0.5Carp	40.0	m	0.2000
Barredera de madera	1P+0.5Carp	40.0	m	0.2000
Barredera de ceramica	1P+1Obr Esp.	25.0	m	0.3200
Barredera de porcelanato	1P+1Obr Esp.	20.0	m	0.4000
Barredera de marmol	1P+1Obr Esp.	20.0	m	0.4000
Cenefa de techo 10x30 cm	1P+1A	25.0	m	0.3200
Empastado de mamposteria	1P+1A+0.1Mm	40.0	m^2	0.2000

Empastado inferior de techo	1P+1A+0.1Mm	30.0	m^2	0.2667
Estuco veneciano	1P+1Obr Esp.	12.0	m^2	0.6670
Recubrimiento exterior de madera	1P+1Obr Esp.	20.0	m^2	0.4000
Recubrimiento exterior con mortero decorativo	1P+1Obr Esp.	30.0	m^2	0.2670
Recubrimiento con piedra decorativa en paredes	1P+1Obr Esp.	32.0	m^2	0.2500
Recubrimiento de madera en escalaones	1P+1Carp	17.0	m^2	0.4706
Recubrimiento de granito para meson	2P+1Obr Esp.	6.0	m	1.3333
Recubrimiento de marmol para meson	2P+1Obr Esp.	6.0	m	1.3333
Pintura en exteriores	1P+1Obr Esp.	35.0	m^2	0.2286
Pintura interior en paredes	1P+1Obr Esp.	45.0	m^2	0.1778
Pintura interior en techos	1P+1Obr Esp.	35.0	m^2	0.2286
Pintura de caucho	1P+1Obr Esp.	35.0	m^2	0.2286

Tabla 26: Rendimientos en rubros de carpinterías.

Rubro	Cuadrilla	Cantidad	Unidad / día	Rendimiento
Instalacion de pasamanos de acero inoxidable	1P+1A+0.1Mm	16.0	m	0.5000
Ventana aluminio fija	1P+1Obr Esp.	32.0	m²	0.2500
Ventana aluminio fija con ventolera corrediza	1P+1Obr Esp.	20.0	m²	0.4000
Ventana aluminio fija con tarjeta y ventolera corrediza	1P+1Obr Esp.	8.0	m²	1.0000
Ventana aluminio fija con ventolera proyectable	1P+1Obr Esp.	8.0	m²	1.0000
Instalacion de ventana madera	1P+1Obr Esp.	20.0	m²	0.4000
Instalacion de ventana metalica	1p+1a+0.1Mm	40.0	m²	0.2000
Instalacion de puerta panelada de muebles bajos	1Obr Esp.	4.0	m²	2.0000
Instalacion de puerta 0.80 X 2.10 M	1P+1Obr Esp.	4.0	U	2.0000
Instalacion de puerta 0.90 X 2.10 M	1P+1Obr Esp.	4.0	U	2.0000
Instalacion de puerta 1.00 X 2.10 M	1P+1Obr Esp.	4.0	U	2.0000
Instalacion de puerta 1.20 X 2.10 M	1P+1Obr Esp.	3.0	U	2.6667

Instalacion de puerta corrediza 1.50 X 2.10 M	1P+1Obr Esp.	4.0	U	2.0000
Instalacion de puerta vaivej 0.90 X 2.10 M	1P+1Obr Esp.	4.0	U	2.0000
Puerta de aluminio 0.80 X 2.10 M	1P+1Obr Esp.	1.1	U	7.2727
Puerta de aluminio 1.50 X 2.10 M	1P+1Obr Esp.	0.5	U	16.0000
Instalacion de puerta metalica en bodegas	1P+1Obr Esp.	4.0	U	2.0000
Instalacion de puerta metalica ingreso peatonal	1P+1Obr Esp.	3.0	U	2.6667
Instalacion de porton exterior vehicular	2P+1Obr Esp.	3.0	U	2.6667
Instalacion de cerradura	1Obr Esp.	8.0	U	1.0000
Instalacion de muebles modulares empotrados melaminico	1P+1Obr Esp.	13.0	m^2	0.6154
Instalacion de muebles modulares de cocina	1P+1Obr Esp.	16.0	m	0.5000
Instalacion de muebles modulares de baño	1P+1Obr Esp.	16.0	m	0.5000
Muebles drywall revestido	2Obr Esp.	20.0	m^2	0.4000
Corte e instalacion de vidrio 3 mm	2Obr Esp.	49.0	m^2	0.1631
Corte e instalacion de vidrio 4 mm	2Obr Esp.	59.0	m^2	0.1356
Corte e instalacion de vidrio 6 mm	2Obr Esp.	63.0	m^2	0.1270

Tabla 27: Rendimientos en rubros de instalaciones hidrosanitarias.

Rubro	Cuadrilla	Cantidad	Unidad / día	Rendi- miento
Acometida de agua potable	1Obr Esp.	3.0	PTO	2.6667
Medidor de agua potable	1P+1Obr Esp.	10.0	U	0.8000
Instalacion de cisterna 500l	1P+1Obr Esp.	6.0	U	1.3333
Tuberia de cobre 1"	1P+1Obr Esp.	45.0	m	0.1778
Tuberia de cobre 3/4"	1P+1Obr Esp.	50.0	m	0.1600
Tuberia de cobre 1/2"	1P+1Obr Esp.	55.0	m	0.1455
Tuberia de polipropileno 1"	1P+1Obr Esp.	60.0	m	0.1333
Tuberia de polipropileno 3/4"	1P+1Obr Esp.	55.0	m	0.1455
Tuberia de polipropileno 1/2"	1P+1Obr Esp.	50.0	m	0.1600
Punto de agua	1P+1Obr Esp.	10.0	PTO	0.8000
Tuberia pvc agua servida 50 mm	1P+1Obr Esp.	35.0	m	0.2286
Tuberia pvc agua servida 110 mm	1P+1Obr Esp.	30.0	m	0.2667
Tuberia pvc agua servida 220 mm	1P+1Obr Esp.	25.0	m	0.3200
Tuberia cemento 200 mm	1P+1Obr Esp.	16.0	m	0.5000
Punto de canalizacion	1P+1Obr Esp.	10.0	PTO	0.8000
Rejilla de piso	1Obr Esp.	30.0	U	0.2667

Instalacion de inodoro de tanque bajo	1P+1Obr Esp.	8.0	U	1.0000
Instalacion de lavamanos	1P+1Obr Esp.	8.0	U	1.0000
Instalacion de mezcladora de regadera / ducha	1Obr Esp.	12.0	U	0.6667
Lavanderia prefabricada	1P+1Obr Esp.	4.0	U	2.0000
Fregadero de cocina	1P+1Obr Esp.	4.0	U	2.0000
Calentador de agua electrico	1P+1Obr Esp.	4.0	U	2.0000
Calentador de agua a gas 7l	1P+1Obr Esp.	4.0	U	2.0000
Calentador de agua a gas 16l	1P+1Obr Esp.	4.0	U	2.0000
Triturador de residuos	1P+1Obr Esp.	4.0	U	2.0000
Llave de jardin	1P+1Obr Esp.	12.0	U	0.6667
Lavavajillas	1P+1Obr Esp.	4.0	U	2.0000
Sistema hidroneumatico	1P+1Obr Esp.	4.0	U	2.0000
Caja de revicion	1P+1A+1Mm	4.0	U	2.0000
Acometida de aguas servidas	1P+1A+1Mm	2.0	PTO	4.0000

Tabla 28: Rendimientos en rubros de instalaciones eléctricas.

Rubro	Cuadrilla	Cantidad	Unidad / día	Rendi- miento
Acometida de electricidad / datos	1P+1Obr Esp.	15.0	PTO	0.5333
Medidor de luz electrica	1P+1Obr Esp.	6.0	U	1.3333
Tablero de distribucion	1P+1Obr Esp.+0.1Mm	6.0	U	1.3333
Tuberia conduit 1"	1P+1Obr Esp.	45.0	m	0.1778
Tuberia conduit 3/4"	1P+1Obr Esp.	50.0	m	0.1600
Tuberia conduit 1/2"	1P+1Obr Esp.	50.0	m	0.1600
Tuberia con manguera	1P+1Obr Esp.	50.0	m	0.1600
Punto de iluminacion	1P+1Obr Esp.+0.1Mm	7.0	PTO	1.1400
Punto de interruptor	1P+1Obr Esp.+0.1Mm	20.0	PTO	0.4000
Punto de tomacorriente	1P+1Obr Esp.+0.1Mm	20.0	PTO	0.4000
Punto de telefono / datos	1P+1Obr Esp.+1Mm	10.0	PTO	0.8000
Salida especial para aparatos electricos	1P+1Obr Esp.+1Mm	10.0	PTO	0.8000
Foco ahorrador / ojo de buey	1Obr Esp.	30.0	U	0.2667
Lampara colgante / plafon	1Obr Esp.	23.0	U	0.3478
Extractor de baño	1Obr Esp.	15.0	U	0.5333
Extractor de cocina	1P+1Obr Esp.	4.0	U	2.0000
Cocina electrica	1P+1Obr Esp.	4.0	U	2.0000

Sensor de iluminacion / proximidad	1Obr Esp.	23.0	U	0.3478
Coneccion a tierra	2P+1Obr Esp.+1Mm	20.0	PTO	0.4000

Tabla 29: Rendimientos en rubros de trabajos finales.

Rubro	Cuadrilla	Cantidad	Unidad / día	Rendi- miento
Encespado de terreno	1P+1A+ 0.1Mm	65.0	m^2	0.1231
Limpieza final de la obra	3P	80.0	m^2	0.1000
Jardineras ornamentales	1P+1A+1Mm	25.0	m^2	0.3200

Tabla 30: Rendimientos en rubros de encofrados.

Rubro	Cuadrilla	Cantidad	Unidad / día	Rendimiento
Encof. Cadena inferior 0.30 X 0.40	1P+1Obr Esp.	20.0	m	0.4000
Encof. Columna 0.20 X 0.30 En 4 lados	1P+1Obr Esp.	11.3	m^3	0.7080
Encof. Columna 0.20 X 0.40 En 4 lados	1P+1Obr Esp.	11.3	m^3	0.7080
Encof. Viga 0.30 X 0.30	1P+1Obr Esp.	18.6	m^3	0.4301
Encof. Viga 0.30 X 0.40	1P+1Obr Esp.	20.5	m^3	0.3902
Encof. Muro dos lados	3p+2Obr Esp	25.0	m^2	0.3200
Encof. Meson e=0.1 X 0.7	1P+1Obr Esp.	50.0	m	0.1600
Encof. Losa e=0.30	3p+2Obr Esp+1Mm	51.0	m^3	0.1569
Encof. Gradas h=2.70	1P+1Obr Esp.+1Mm	12.0	m^3	0.6670

Salario real horario

Dentro del análisis presupuestario, es indispensable estudiar los salarios reales que deberemos afrontar como empleadores, esto debido a que existen remuneraciones adicionales que el trabajador debe recibir, mismas que no se incluyen en el salario mensual; por lo tanto, si no reaizamos ciertas consideraciones nos veremos gravemente perjudicados no solamente de forma económica al tener que afrontar gastos que no habían sido previstos, sino que además estaremos contraviniendo las leyes de la localidad donde ejerzamos nuestra actividad profesional.

Un trabajador a nuestro cargo recibirá por sus labores una remuneración mensual, quincenal, semanal o por jornada. Esta representa únicamente el acuerdo entre las partes para entregar el pago correspondiente, por lo cual, se recomienda que, para realizar el estudio de costos, la consideración del salario sea estudiada como si se realizase el pago de manera mensual.

Sin embargo, el trabajador recibe por ley ciertos pagos adicionales durante el año por concepto de bonificaciones, fondos de reserva, entre otros, los cuales no están considerados en ninguna circunstancia dentro del pago mensual, a menos que las leyes laborales de la localidad así lo dispongan.

Es importante recordar que, al utilizar la metodología del análisis de precios unitarios, buscamos determinar el costo por unidad de una tarea o rubro en concreto, y, teniendo en cuenta que cada uno de los rubros se ejecutan en una unidad de tiempo determinada por los rendimientos, será necesario que establezcamos el costo de la mano de obra en una tarifa horaria.

Por consiguiente, analizaremos la metodología que necesitaremos ejecutar, de manera que podamos establecer el costo por hora que cubra los gastos producto de las remuneraciones reales del trabajador durante el año.

Dos de los errores más frecuentes en los presupuestadores con poca experiencia, radican tanto en la omisión de las remuneraciones totales anuales que la ley de cada país exige para cada trabajador de acuerd con su estructura ocupacional, como la omisión de los días totales d trabajo al año durante los cuales ejercerán realmente sus actividades.

Podemos entonces definir al **"Salario Real Horario"**, como el cost que el constructor debe asumir por el concepto de las remuneracione totales que entregará al trabajador durante el año, calculadas de ma nera que representen el costo de una hora de trabajo del obrero.

Vamos a suponer que un trabajador recibe como remuneració una cantidad neta de 480 USD mensuales. Si dividimos esta cifr para las 160 horas de trabajo durante el mes, obtendremos com salario horario lo siguiente:

Salario Horario SH= 480 / 160 horas
SH= 3 USD

Sin embargo, teniendo en cuenta el código laboral y las normati vas dentro de cada país, deberemos hacer un listado de todas las re muneraciones a las cuales tiene derecho el trabajador durante el año para después contabilizar los días del año que no son laborables. D esta manera obtendremos el costo real horario al cual deberemo hacer frente como empleadores.

Tomemos como ejemplo el mismo obrero que percibe un sala rio neto de 480 USD mensuales. Vamos a suponer que el códig laboral de nuestro país exige el pago de un bono escolar anual y u bono navideño, ambos correspondientes a un salario extra; adicio nalmente, un aporte del 10% del salario mensual por concepto d seguridad social y unos fondos de reserva pagados de forma anua correspondientes al 50% de un salario mensual. De esta manera, obtendremos los resultados señalados en la Tabla 31.

Tabla 31: Remuneraciones totales anuales.

Remuneración Anual (480 x 12)	5760
Bono Escolar (anual)	480
Bono Navideño (anual)	480
Seguridad Social (480 x 10% x 12)	576
Fondos de Reserva (480 x 50%)	240
TOTAL ANUAL	**7536**

De la misma manera, dentro de los estatutos nacionales se definirán los días libres a los cuales el trabajador tiene derecho. Entre ellos los días de descanso obligatorio, los días no laborables nacionales y locales, los días de vacaciones pagadas, los días de licencia por enfermedad y demás. A los 365 días del año deberemos deducir este total de días no laborables de acuerdo con las leyes y reglamentaciones locales; el desarrollo del análisis se muestra en la Tabla 32.

Tabla 32: Días laborables anuales.

Descanso Obligatorio (Sábados y Domingos)	104
Vacaciones (Sin incluir sábados y domingos)	11
Festivos Nacionales	7
Festivos Locales	1
Licencias Personales	4
Total de Días NO Laborables	**127**
Días Laborables (365-127)	**238**

De las Tablas 31 y 32, podemos deducir que el total anual de remuneraciones habremos de dividirlo entre los días que el trabajador ejercerá su actividad, con lo cual obtendremos lo siguiente:

Salario Real Horario SRH= 7536 / (238 x 8 horas)
SRH= 7536 / 1904
SRH= 3.96 USD

Atención: A pesar de que el cálculo indique un valor de 3.96 USD en nuestro ejemplo, este valor sirve únicamente para nuestro análisis presupuestario, ya que es el valor real que nosotros como constructores deberemos afrontar; sin embargo, el pago mensual que realizamos al trabajador seguirá siendo de 3 USD. Los 0.96 USD excedentes por hora representan los pagos adicionales que realizaremos a lo largo del año por los conceptos mencionados anteriormente.

Es responsabilidad del presupuestador, el realizar un análisis basado en las leyes y normativas de su país y ayuntamiento, a fin de que pueda ejecutar un cálculo que represente realmente los costos en su actividad profesional a los cuales pueda referenciar sus presupuestos, ya que los cálculos aquí presentados son únicamente un ejercicio basado en supuestos. Para referenciar sus análisis, el presupuestador podrá revisar el código laboral correspondiente a su país, así como los reglamentos de seguridad social y demás estatutos a los cuales deba regirse.

Costo de la mano de obra

Cada uno de los cálculos que hemos obtenido hasta el momento, se encargan de analizar el valor de una característica específica de la mano de obra, las cuales al ser desagregadas nos permiten estudiar a profundidad el costo real que se genera por este concepto.

El costo de la mano de obra, por tanto, estará dado en función de las remuneraciones percibidas por el personal presente en la cuadrilla y el tiempo que les tome ejecutar la tarea en estudio, de manera que calculemos el precio por el tiempo de ejecución específico del rubro, lo cual nos permitirá obtener el costo de cualquier elemento dentro de la categoría.

Haciendo uso de las tablas 20 - 30 presentadas anteriormente, seremos capaces de definir tanto la cuadrilla requerida para una actividad en específico, como el tiempo que requiere el equipo de trabajadores para ejecutar una unidad de obra, es decir, el rendimiento; con lo cual podremos ser capaces de obtener un costo por cada uno de los obreros, mediante el procedimiento a continuación descrito.

A manera de ejemplo, vamos a calcular el costo de la mano de obra de un rubro que busca presupuestar las tareas para construir un entrepiso de hormigón, el cual será realizado por una cuadrilla compuesta por 1 maestro mayor de ejecución de obra, 4 albañiles y 8 peones.

Vamos a suponer, que luego del análisis necesario, hemos calculado los salarios horarios del personal en valores de 3.66 USD para el maestro mayor, 3.30 USD para los albañiles y 3.26 USD para los peones. Estos valores deberemos multiplicarlos por la cantidad de obreros requeridos para ejecutar el rubro, valores que hemos obtenido de las tablas de rendimiento correspondientes.

El valor obtenido corresponderá al costo de la cuadrilla ejecutando la tarea durante una hora. Sin embargo, esto no representa el tiempo requerido para llevar a cabo la construcción de la unidad de obra señalada.

La manera en que relacionaremos el costo horario con el tiempo de ejecución para el rubro será mediante el rendimiento de la cuadrilla. Al obtener el producto entre el costo horario y el rendimiento, obtendremos como resultado el costo del rubro por unidad de obra.

El costo de la categoría completa requerirá simplemente realizar una sumatoria de todos los costos de los integrantes del personal, como lo podemos observar en la Tabla 33.

Tabla 33: Costo de la mano de obra en un rubro.

Descripción	Cantidad (A)	Salario horario (B)	Total horario (C)=(AxB)	Rendimiento (D)	Costo (CxD)
Maestro mayor	1	3.66	3.66	0.6154	2.25
Albañil	4	3.30	13.20	0.6154	8.12
Peón	8	3.26	26.08	0.6154	16.05
				Subtotal	26.43

Como podemos observar, el cálculo del costo de la mano de obra en un rubro es el resultado de un proceso bastante lógico una vez que hemos comprendido la procedencia de sus datos característicos, de manera que, al momento que nos familiarizamos con los análisis previos, obtener el resultado final es sumamente sencillo.

Capítulo 4. Herramientas y Equipos

Como lo hemos venido analizando a lo largo de este libro, las categorías más representativas por su porcentaje de incidencia en el costo total de un proyecto están constituidas por los materiales y la mano de obra; sin embargo, a pesar de que aparentemente representa una categoría de poca relevancia, las herramientas y equipos exigen un particular análisis dentro del rubro debido a la función que desempeñan.

Resulta evidente el mencionar que las herramientas constituyen un puente esencial entre la mano de obra y los materiales, ya que dan paso a la ejecución de las tareas de forma correcta y ágil, sin embargo, el estudio de sus costos puede resultar un tanto intrincado.

Podemos definir a las **"Herramientas y Equipos"**, como los instrumentos que permiten el desarrollo del trabajo adecuado del personal de obra, cumpliendo una tarea específica para la cual han sido diseñadas. La falta de muchas de las herramientas puede provocar la imposibilidad de ejecutar ciertas tareas, por lo cual se deberá garantizar su existencia en la obra.

Como lo analizaremos más adelante, las herramientas requeridas en la construcción son muy variadas, pudiendo ser manuales como martillos o palas, eléctricas como taladros o amoladoras, equipos electrónicos de alta precisión como distanciómetros o incluso maqui naria pesada de elevado costo como las retroexcavadoras.

Por esto, la presupuestación tanto de herramientas como de equi pos debe ser cuidadosamente analizada, de manera que los costo involucrados en su actividad sean correctamente amortizados.

El porcentaje del costo de la herramienta dentro de un rubro e variable, relacionándose con el tipo de elemento del que se hará uso En proyectos de construcción estándar que requieren únicamente d elementos manuales o eléctricos cuando mucho, el porcentaje de in cidencia de las herramientas puede acercarse al 5% del total. Sin em bargo, existen rubros que requieren de la implementación de equipo de alto valor, e incluso de maquinaria pesada, lo cual evidenciará u sobrecoste en esta categoría.

A pesar de que la lógica nos exige la inclusión de un costo po estos insumos dentro del rubro, muchos presupuestadores en su afá de lograr una oferta más baja, optan incluso por no cobrar por e uso de estos elementos. Si bien puede ser una práctica extrema er busca de otros intereses, el análisis presupuestario debe ser quien no indique cual es el valor mínimo que deberíamos de incluir, de manera que nuestra inversión esté protegida.

De igual manera, existen constructores que optan por ren tar ciertos equipos debido a que harán un uso muy puntual d ellos. Igualmente, antes de tomar una decisión al respecto, se deberá realizar el correspondiente análisis de costos para pode estimar la opción más favorable. Este estudio se puede aprecia con mucha más claridad en el análisis de transportes, ya que si bien tienen cierta similitud, las elevadas cifras nos permiter apreciar más fácilmente este concepto como lo analizaremos en el Capítulo 5.

Una particularidad para considerar en el análisis de la herramienta, se fundamenta en el diseño de estos equipos basándose en la inclusión de un sistema de elementos de recambio, de manera que el desgaste producido por la actividad de la herramienta sea absorbido por dichos elementos, los cuales pueden reemplazarse fácilmente. Los costos de estas piezas, si bien son bajos, representan altas sumas de dinero cuando son contabilizadas en su totalidad durante la vida útil de la herramienta.

El estudio de costos de esta categoría tiene por objeto el analizar el total de herramientas que deberán asignarse para el proyecto, así como el establecer un valor horario por el uso de esta. Debemos tener en cuenta, que el constructor en promedio habrá de invertir una importante cantidad de dinero en la adquisición de los equipos que requiere para poder ejercer su profesión de manera eficiente. Si consideramos que este costo total deberá ser repuesto cada cierta cantidad de horas, tendremos que asegurarnos de que el valor presupuestado en los rubros cubra los gastos del reemplazo de dichos equipos.

Los presupuestadores con poca experiencia, por lo general, no toman las consideraciones necesarias dentro de su análisis de costos, lo cual les impide cubrir los gastos generados producto del uso de la herramienta. Si bien a primer vistazo no parece constituir un prejuicio mayor, en el largo plazo genera descompensaciones en los veneficios del constructor.

Durante el desarrollo de este capítulo, detallaremos todos los particulares que debemos analizar, de modo que estemos en la capacidad de realizar un presupuesto que garantice la cobertura total de los costos de la herramienta y los equipos de los cuales haremos uso.

Tipos de herramientas

Como lo detallamos en el Capítulo 3, el personal de obra puede ser organizado en grupos de trabajo llamadas cuadrillas, las cuales se enfocarán en la ejecución especializada de un tipo de tarea. Las exigencias propias de dichas tareas requerirán que los obreros dispongan de las herramientas y equipos adecuados, de manera que puedan ejecutar sus labores eficientemente.

Esta especialización permite que los fabricantes de equipos para la construcción desarrollen herramientas que brinden su máximo desempeño en una tarea concreta, por lo cual, esta estará específicamente diseñada para el trabajo de un tipo de cuadrilla.

La realidad de muchos constructores durante la ejecución de las obras exige que, por diferentes motivos, una herramienta termine siendo usada para brindar otros servicios para los cuales no ha sido concebida. Si bien esto puede aplicarse de manera ocasional, se debe tener en cuenta que el mal uso de los equipos termina por reducir la vida útil de los mismos, generando, por consiguiente, gastos mayores a los presupuestados.

Las herramientas participantes dentro de un proyecto pueden ser de diferentes tipos. A continuación, analizaremos una categorización de ellas, la cual nos permitirá comprender mejor su función e implementación dentro de un rubro.

Herramienta menor

Denominaremos como **"Herramienta Menor"**, a aquellas que son accionadas mediante la fuerza ejercida por el obrero que la emplea, para poder ejecutar la función para la cual ha sido diseñada. Este tipo de herramientas son por lo general de un uso más amplio dentro del listado de rubros, sin embargo, pueden en su mayoría ser de vida única al no contar con accesorios de recambio.

Es frecuente el empleo de este tipo de herramientas en los trabajos de albañilería, pero muchas de ellas se requerirán también en menor medida en los rubros de acabados, construcción ligera, carpinterías, entre otros. Debido a que no alcanzan mayores costos, y no tienen un uso específico, por temas de practicidad es conveniente presupuestarlos como un insumo global, sobre el cual analizaremos un costo horario, mismo que cubra en conjunto el desgaste de todas las herramientas presentes.

Como analizaremos más adelante en este capítulo, la manera de presupuestar el costo de la herramienta menor a fin de que corresponda con la metodología de cálculo del rubro, se logra mediante el establecimiento de una tarifa horaria, la cual estará sujeta a varias condiciones propias del estilo de trabajo del constructor, lo cual generará que existan diferencias de costos entre profesionales de la rama.

El costo de esta herramienta estará directamente supeditado a factores de seguridad, mantenimiento y experiencia del personal de obra; lo que repercutirá en el tiempo total de recambio aproximado de las herramientas, así como en su precisión y eficiencia en los trabajos.

Es indispensable que el personal de supervisión de obra exija un buen uso de la herramienta menor, además de llevar un estricto control de la asignación de esta a una persona en concreto a quien se le pueda exigir responsabilidades. Hay que tener en cuenta que, si bien el costo individual de cada herramienta no es alto, el costo en conjunto puede ser considerable, por lo cual, si no tratamos de extender su duración el tiempo necesario, estos costos repercutirán sobre las utilidades del constructor.

Herramienta eléctrica

Si bien toda tarea en la construcción puede llevarse a cabo haciendo uso de la herramienta menor, el rendimiento de la cuadrilla se verá fuertemente beneficiado mediante el uso de equipos eléctricos, por lo cual, es muy recomendable su implementación en obra.

Podemos definir a la **"Herramienta Eléctrica"**, como aquellos equipos que requieren el uso de la energía eléctrica para ponerse en funcionamiento. Se consideran dentro de este apartado tanto a las herramientas eléctricas clásicas como taladros o ingletadoras, como a los equipos electrónicos de precisión, como niveles láser, distanciómetros, entre otros.

Como se había mencionado anteriormente, la mayoría de los equipos eléctricos están diseñados de manera que los componentes que ejercen el esfuerzo del trabajo, y por el cual sufrirán un desgaste, puedan ser reemplazados de manera que la herramienta pueda recuperar su plena capacidad y eficiencia. Estas piezas se denominan **"Elementos de Recambio"**. En un taladro, por ejemplo, los elementos de recambio están constituidos por las brocas de perforación.

Un aspecto clave para el uso de los equipos eléctricos, radica en la ejecución de los trabajos siguiendo las normas de seguridad correspondientes, por lo cual, es responsabilidad del constructor el brindar la capacitación adecuada a su personal de obra a fin de garantizar el uso seguro y eficiente de dichos equipos.

Es de suma importancia que las herramientas eléctricas sean almacenadas en un sitio apropiado, de manera que su durabilidad sea la esperada. Bajo ningún concepto deberán recibir golpes o dejarse a la intemperie, así como tampoco sus elementos de recambio, ya que estos pueden sufrir daños microscópicos, los cuales pueden desencadenar en fisuras que comprometan la integridad de la pieza al ser puestos en funcionamiento.

Maquinaria pesada

Existen ciertos rubros que, por su naturaleza, requieren el uso de maquinaria pesada. Si bien es cierto que los trabajos pueden ser ejecutados manualmente, el volumen de obra que suelen alcanzar estos rubros hace que sea más rentable el uso de equipos especializados de alto poder.

Entenderemos como **"Maquinaria Pesada"**, a los equipos destinados a entregar un alto poder de trabajo, por lo general, están constituidos por vehículos de grandes dimensiones los cuales poseen motores de combustión de alta potencia.

El uso de estos equipos no es frecuente en las tareas cotidianas del constructor, por lo que es muy poco común que se requiera realizar la adquisición de uno de ellos, siendo bastante habitual el trabajar con equipos rentados. Sin embargo, dependiendo de la envergadura del proyecto que se deba abordar, es recomendable realizar los análisis correspondientes ya que, en muchas ocasiones, la renta de una maquinaria durante el tiempo requerido para las obras podría generar costos más altos que el de la propia adquisición.

Al igual que con el resto de las herramientas, la manera de establecer una correspondencia de la maquinaria dentro del rubro se logra mediante el cálculo de una tarifa horaria, con la cual podamo garantizar los costos generados por el equipo analizado.

Los factores clave dentro de este estudio de costos corresponder principalmente al valor de los neumáticos, así como también a lo elementos de recambio y al consumo de combustible. Además, cuan do estemos analizando la implementación de este tipo de equipos er el rubro, deberemos estudiar también la composición en la mano de obra. Debemos tener en cuenta que estos equipos requerirán de ur operador especializado, por lo que este costo deberá ser presupuesta do de acuerdo con la manera en la que se vaya a ejecutar el trabajo.

Más adelante dentro de este capítulo, estaremos analizando lo aspectos requeridos que nos permitan tomar decisiones sobre los cambios que se requieran hacer dentro de las otras categorías de rubro a causa de la implementación de la maquinaria pesada.

Como hemos podido observar, las herramientas requeridas en la construcción pueden ser de lo más variadas, por lo que es convenien te que estemos familiarizados con la función, el funcionamiento y los concejos de seguridad que correspondan a cada herramienta, de ma nera que podamos llevar a cabo un control de obra el cual garantice la buena ejecución de los trabajos y la seguridad dentro de la misma

En la tabla 34 se presenta un listado de las principales herramien tas de uso cotidiano.

Tabla 34: Principales herramientas y equipos.

Tipo	Componente
Herramienta menor	Andamio, pala, pico, combo, martillo, cincel, punta, cuchara de albañilería, llana, carretilla, manguera, juego de destornilladores, cinta métrica, serrucho, pata de cabra, estacas, escuadras, baldes, juego de llaves, timbrador, tijera para metal, pistola de silicón, nivel imantado, plomada, pinzas de presión, escaleras, combo de goma, cepillo de cartón yeso, alicate, espátula, cortadora manual de baldosa, etc.
Herramienta eléctrica	Atornilladora eléctrica, plancha vibroapisonadora, cortadora circular de cerámica, ingletadora, vibrador de hormigón, amoladora, sierra circular, tronzadora, taladro percutor, llave de impacto, nivel laser, distanciómetro, etc.
Maquinaria pesada	Grúa móvil, retroexcavadora, volquete, concretera, elevadora de riel, etc.

Asignación de herramientas y equipos

Al momento de diseñar la categoría de herramientas y equipos, es normal que nos planteemos ciertas interrogantes respecto a la cantidad de estas requeridas para el estudio de costos. Para realizar tal asignación, es necesario que recordemos las actividades en las cuales se enfocará la cuadrilla correspondiente, de manera que designemos tanto las herramientas como las tareas a ejecutar con ellas.

Previo a este paso, es conveniente recordar ciertos conceptos estudiados en el Capítulo 3 de este libro, en el cual analizábamos la composición de una cuadrilla de acuerdo con las actividades que realizarán los obreros, los cuales se dividían en personal de ejecución y personal de supervisión.

A manera de ejemplo, vamos a asignar la herramienta requerida para calcular un rubro enfocado en la excavación manual para cimentaciones. De acuerdo con la Tabla 21, deberemos conformar una cuadrilla compuesta por 2 peones, 1 albañil y 1 maestro mayor.

Si bien es cierto que la cuadrilla tiene 4 integrantes, debemos tener en cuenta que solo 3 de ellos son ejecutores, es decir, solo tres de ellos estarán empleando las diferentes herramientas requeridas para la actividad, mientras que el maestro mayor únicamente supervisará la tarea y dará las directrices necesarias para la adecuada realización del trabajo.

Si consideramos, como se había descrito anteriormente, que se englobará a toda la herramienta menor dentro de un solo insumo, concluiremos entonces que requeriremos 3 unidades de esta para la ejecución de la tarea, correspondiente a los tres ejecutores.

Podemos concluir, que la herramienta menor puede ser englobada bajo un mismo insumo debido a que nos permite ejecutar de manera general todo tipo de actividades, además de que su costo relativamente similar puede asociarse en un valor global. Desafortunadamente, estas características no están presentes en los otros tipos de herramientas, por lo que será requerido el análisis diferenciado de cada una de ellas al interior del rubro.

A manera de ejemplo, vamos a analizar un rubro que calcule el presupuesto de herramienta para la elaboración de un mesón de fibrocemento, para lo cual haremos uso de la Tabla 23, de la cual podemos obtener la conformación de la cuadrilla, misma que está constituida por dos maestros instaladores de cartón yeso.

Para asignar la herramienta a este rubro, deberemos analizar el tipo de actividades que se estarán llevando a cabo. Estas corresponderán a las tareas de corte de paneles de fibrocemento, corte y sujeción de los perfiles a la superficie y sujeción de los paneles a la estructura.

Normalmente, durante el desarrollo de las tareas, un operario realizará los cortes del perfil empleando la herramienta menor y los fijará al piso mediante el uso de clavos de impacto. Posteriormente, procederán a cortar los paneles mediante el uso de una cierra circular, para finalmente fijar los paneles a la estructura mediante atornilladoras eléctricas.

De la descripción del trabajo podemos concluir que la cuadrilla requerirá además de la herramienta menor para los dos ejecutores, una pistola de clavos de impacto, una sierra circular y dos atornilladoras. Sin embargo, para agilitar el trabajo, la cuadrilla podría equiparse con un nivel laser, el cual, si bien no es de uso obligatorio, podría agilitar el desarrollo de las tareas.

Como podemos notar, la asignación de herramientas y equipos eléctricos va ligada a las actividades específicas que se habrán de desarrollar dentro del rubro, por lo que se requiere que el presupuestador esté al tanto de los insumos que son requeridos para la ejecución del trabajo correspondiente.

Finalmente, dentro del tratado de asignación de equipos, analizaremos la implementación de maquinaria pesada dentro de un rubro.

Empezaremos por detallar que los rubros donde principalmente intervienen estos equipos corresponden a las tareas de movimientos de tierras y conformación de estructuras metálicas. Es importante analizarlo cuidadosamente debido a que su presencia puede requerir cambios en las otras categorías del rubro dependiendo de la manera que sean presupuestados.

Como se ha analizado ya a lo largo de este libro, existen muchas maneras de realizar un mismo cálculo presupuestario, por lo que el estudio de la maquinaria puede ser abordado desde diferentes perspectivas. La manera más apropiada para analizar los costos de estos insumos se consigue mediante el establecimiento de una tarifa horaria, ya que suele ser la manera en que se presta este servicio en el mercado. Esto, al mismo tiempo, nos permite compatibilizar dichos costos con el resto de los cálculos dentro del rubro.

Debido a que son equipos de alto costo, la mayor parte de ocasiones se opta por la renta de ellos, de manera que estarán presentes en el sitio de la obra solamente durante el tiempo concreto de los trabajos para los cuales han sido contratados.

Por consiguiente, el insumo se detallará dentro del rubro respecto a la cantidad de equipos en funcionamiento ligados a la cuadrilla. Vamos a suponer que deseamos presupuestar un rubro de excavación, para lo cual requeriremos únicamente del personal de supervisión. A este rubro hará falta asignarle una unidad de retroexcavadora, y de ser el caso, un vehículo de transporte.

Mas adelante estaremos analizando los procedimientos requeridos para realizar correctamente los análisis de estos insumos, los cuales pueden alcanzar costos considerables.

Es importante mencionar nuevamente, que el análisis de la categoría de herramientas y equipos debe representar la manera de trabajar del constructor, por lo cual, es necesario que, al momento de realizar el análisis presupuestario, detallemos tanto como sea posible los mecanismos mediante los cuales se llevarán a cabo las tareas de construcción.

De igual manera, el valor obtenido en esta categoría podrá ser aproximado más no exacto, debido a todas las consideraciones subjetivas que deberemos plantear para la obtención de ciertos valores necesarios para el cálculo, como lo veremos a continuación.

Tarifa horaria

El estudio de costos de la categoría de herramientas y equipos plantea varios retos para el presupuestador, debido a que SE habrán de establecer diversos escenarios supuestos en función de las condiciones de trabajo que podrían presentarse dentro de la ejecución de las obras. Esto impide que el cálculo realizado pueda ser exacto, Y debamos optar por alcanzar un presupuesto que nos permita cubrir dichos escenarios, sin que el costo se desligue de la realidad del mercado.

Cada tipo de herramienta exige un procedimiento de análisis diferente, de acuerdo con las condiciones en las que se requerirán dentro del presupuesto y la forma en la que el constructor las gestiona; por tal motivo, las analizaremos de manera diferenciada.

Herramienta menor

Como se había descrito anteriormente, se buscará establecer un cos‌to global para este insumo debido a que el conjunto de herramienta‌se emplea en un tipo similar de actividades y se presentan siempre e‌las mismas condiciones.

El estudio de costos de este conjunto de elementos es bastant‌complejo y está sujeto a muchos supuestos, lo cual presenta varia‌dificultades para el presupuestador, quien tendrá que analizar entr‌diferentes implicaciones, como el cuidado con el que se manejen la‌herramientas, el desgaste que sufrirán, el tiempo de reposición y l‌metodología de trabajo de la cuadrilla. Debido a que estos compo‌nentes resultan en cantidades bastante subjetivas, el presupuestado‌suele optar principalmente por dos metodologías de análisis.

En primer lugar, la herramienta menor puede ser presupuestad‌de manera que se vea ligada a la actividad de la mano de obra, la‌tareas que realice y, por consiguiente, su peso porcentual dentro de‌rubro. Para esto, es común calcularla en un valor promedio del 5%‌del total constituido por la categoría de mano de obra.

Este procedimiento resulta bastante práctico debido a que, si u‌rubro ejecuta gran cantidad de trabajos manuales, el costo de la he‌rramienta constituirá el porcentaje correspondiente de dichas tareas‌Vamos a suponer que, en el análisis presupuestario de un rubro, he‌mos calculado un costo total de la mano de obra de 30 USD. Me‌diante esta metodología, basta con obtener el porcentaje correspon‌diente para la herramienta menor.

Costo de la categoría de Mano de Obra= 30 USD

Tarifa horaria= 30 x 5%

Tarifa horaria= 1.50 USD/hora (por el conjunto de la herramienta menor)

Este procedimiento si bien constituye una manera rápida de cálculo, permite únicamente una aproximación basada en un porcentaje que el presupuestador deberá ir ajustando de acuerdo con su experiencia, con relación al tratamiento que se les dé a las herramientas, con la calidad de estas, entre otras condicionantes.

El segundo mecanismo es mediante un análisis del costo histórico que el constructor ha obtenido durante su actividad profesional, de manera que se pueda establecer un costo horario más preciso, relacionado al valor de adquisición del conjunto de herramientas.

SI bien esta metodología requiere de cierta inversión de tiempo, nos permite tener datos concretos sobre los cuales basar nuestro análisis. Vamos a suponer a manera de ejemplo, que un constructor ha realizado una inversión de 1600 USD en las distintas herramientas necesarias para la ejecución de su tipo de trabajo, para las cuales ha obtenido un tiempo total de recambio aproximado de 6000 horas. Al relacionar estos valores se puede calcular el costo horario de la herramienta menor.

Tarifa horaria= 1600 / 6000 horas

Tarifa horaria= 0.27 USD/hora (por unidad de herramienta menor)

Aunque este es un método de cálculo más real ya que se basa en los costos históricos, el reto para el presupuestador está constituido por el análisis del tiempo de recambio global, ya que como resulta evidente, no todas las herramientas tienen el mismo grado de desgaste, y, por tanto, presentarán un tiempo de recambio diferente. Sin embargo, se puede considerar valores promedio de entre 5000 a 7000 horas de uso para la herramienta menor.

El costo de la tarifa horaria de la herramienta menor tendrá siempre cierto grado de subjetividad, debido a su vinculación Con condicionantes como la seguridad en el almacenamiento, el buen manejo, el mantenimiento, entre otras, lo cual conlleva a un análisis bastante complejo, por lo cual es recomendable establecer una metodología de trabajo que nos permita almacenar datos históricos, de manera que los valores promedio que vayamos obteniendo, se aproximen a la realidad del trabajo del constructor.

Herramienta eléctrica

Si bien la mayoría de las implicaciones analizadas para la herramienta menor aplican también para la herramienta eléctrica tales como la seguridad en el almacenamiento, el buen mantenimiento y adecuado manejo, existen para estos equipos otro tipo de afectaciones que determinan su tarifa horaria.

Como se había mencionado, para obtener los costos correspondientes, es necesario tener en cuenta los gastos derivados del uso y desgaste tanto de la propia herramienta como de sus accesorios de recambio, de modo que el costo estará basado en la depreciación del equipo y del costo requerido para ponerla en funcionamiento.

De la misma manera que en el caso de la herramienta menor, el cálculo de los equipos eléctricos debe ser analizado por su tarifa horaria, de manera que sea compatible con las cifras de rendimiento del personal, y se pueda establecer el costo producto de la ejecución de una unidad de obra.

para hallar el costo analizaremos los siguientes criterios, mismos que se encuentran resumidos más adelante en la Tabla 35.

Primeramente, requeriremos analizar los valores generados para cubrir la "**Amortización**" del equipo. Este concepto representa el valor que la herramienta va perdiendo por el paso del tiempo. A este valor inicial deberemos deducir el "**Valor Residual**", el cual está constituido por el valor de la herramienta ofertada en el mercado como equipo de segunda mano.

En segundo lugar, el uso de la herramienta tendrá sus respectivos costos de funcionamiento, estos son los generados producto de la puesta en marcha del equipo, dichos valores se reflejan en el consumo eléctrico, los mantenimientos y el recambio de los accesorios. Estos valores están totalmente vinculados al costo de la energía eléctrica en la localidad donde se ejecutará el proyecto, así como del valor y duración promedio de los accesorios.

El consumo eléctrico se calcula mediante la potencia entregada por el equipo. Si bien el fabricante puede indicar el valor directamente en watts (w), puede indicarlo también en voltios (v) y Amperios (A), con lo cual, requeriremos multiplicar estos dos valores para encontrar la potencia en watts. Dicho valor de potencia se deberá relacionar con la unidad de facturación de la energía eléctrica, para después multiplicarlo por el total de horas de la vida útil de la herramienta.

De la misma manera, existen eventos que se presentan periódicamente durante la vida útil de la herramienta, como es el caso de los costos de reparación y mantenimiento. Estos gastos pueden presentarse alrededor de 4 ocasiones en promedio.

Para el cálculo del costo de cada uno de ellos, podremos realizar una estimación de acuerdo con los valores históricos que vayamos almacenando, sin embargo, se puede considerar como valor promedio para cada servicio de mantenimiento el 10% de la amortización de la herramienta.

Los valores más altos dentro del presupuesto de una herramienta están constituidos por los costos de las piezas de recambio. Dependiendo del costo de estos y de la vida útil del equipo, los recambios o accesorios pueden superar varias veces el precio de la herramienta. Para obtener este valor deberemos relacionar la vida útil de la herramienta con la vida útil del accesorio, para después multiplicarlo por el costo del elemento de recambio.

La sumatoria de la amortización y el costo de funcionamiento, nos darán como resultado el costo de operación. Al obtener el costo total durante la vida útil del equipo podremos hallar la tarifa horaria para incluirla en nuestros rubros.

Vamos a suponer que requerimos calcular la tarifa horaria de una ingletadora cuyo valor inicial es de 400USD. De acuerdo con las características provistas por el fabricante, hemos establecido la potencia del equipo en 1800 w, del mismo modo, sabemos que el valor residual de acuerdo con el mercado es de 50 USD y la vida útil es de alrededor de 2300 horas.

Los costos obtenidos se desarrollan en la Tabla 35.

Tabla 35: Tarifa horaria de la herramienta eléctrica.

Datos de la Herramienta	
A. Costo Inicial	$400.00
B. Costo Residual	$50.00
C. Vida Útil (hora)	2300
D. Potencia (w)	1800
E. Costo Kw/h	$0.10
F. Costo de los elementos de Recambio Accesorio)	$80.00
G. Vida útil de los accesorios (horas)	150.00

Amortización	
Concepto	Valor Total
H. Amortización (A-B)	$350.00

Costos de Funcionamiento	
Concepto	Valor Total
Consumo (D/1000)xCxE	$414.00
Reparaciones (H/10)x4	$140.00
Recambios (c/G)xF	$1,226.67
J. Costos de Funcionamiento	$1,780.67

Costo de Operación	
Concepto	Valor Total
K. Total vida útil (H+J)	$2,130.67
M. Tarifa horaria (K/C)	$0.93

El presupuestador, sin embargo, podrá reducir dichos costos dependiendo de las condiciones en las que se desarrolle la obra, por ejemplo, si el contratante dispone ya del servicio eléctrico, si asume los costos de los accesorios de recambio o si la herramienta ha sido ya amortizada, por mencionar algunos casos.

Maquinaria

El análisis presupuestario de la maquinaria representa unos valores muy significativos dentro de un rubro debido a sus altos costos, sin embargo, el uso de este tipo de equipo se produce en momentos muy puntuales. Por este motivo, es muy habitual que el constructor opte por la renta o alquiler de maquinaria pesada de proveedores que se encargan de brindar todos los servicios ligados al trabajo a realizarse.

El escenario más sencillo de calcular se presenta precisamente mediante los equipos de alquiler. En caso, por ejemplo, que debamos estudiar el costo de la maquinaria en un rubro de excavación para el cual haremos uso de una retroexcavadora de renta, la cual nos será entregada en el sitio de la obra realizándonos un cobro por hora de funcionamiento del vehículo, el costo horario del equipo corresponderá al costo negociado con el proveedor del servicio.

Vamos a suponer, que hemos negociado un costo horario de 30 USD por hora. Este valor lo podremos establecer directamente en nuestro rubro por concepto de la tarifa horaria del equipo.

En el caso de que la maquinaria sea de propiedad del constructor, los gastos asociados al funcionamiento del equipo deberán ser presupuestados de manera que la tarifa horaria cubra los mismos. El procedimiento de cálculo se asemeja en concepto al estudio de la tarifa horaria de la herramienta eléctrica, sin embargo, al tratarse de sumas elevadas de dinero invertidas en el equipo, se requiere además adicionar algunas observaciones.

El análisis detallado de la metodología de cálculo de la maquinaria se ejecuta empleando un mecanismo similar al utilizado para el estudio de transporte, por lo que analizaremos estos detalles en el Capítulo 5, en donde podremos también encontrar la Tabla 37 allí presentada. Dicha tabla se encarga de analizar los costos producto de la amortización del equipo, así como de los costos de oportunidad, costos anuales y costos operativos de la maquinaria a fin de obtener el cálculo horario de la misma, valor que requeriremos para ingresarlo en nuestro rubro.

Costo de la herramienta y equipo

Como lo hemos revisado a lo largo de este capítulo, el costo de la herramienta y el equipo se ve reflejado en una tarifa horaria, la cual se encarga de cubrir los distintos gastos que se generarán producto de su uso.

Si bien el costo total de la herramienta guarda estricta relación con la tarifa horaria de esta, debemos recordar que todo rubro estará expresado en función de las actividades necesarias a ejecutar a fin de elaborar una unidad de obra, por lo tanto, el valor horario deberá relacionarse con el tiempo de acción del rubro como lo veremos más adelante.

A manera de ejemplo, supongamos que deseamos presupuestar un rubro que analiza el costo de la construcción de una ventana de aluminio, la cual de acuerdo con la Tabla 26 requiere una cuadrilla de 1 obrero especializado y 1 ayudante, los cuales presentan un rendimiento de 0.4000 horas.

Como lo habíamos descrito anteriormente, para la asignación de la herramienta deberemos analizar las actividades que la cuadrilla desarrollará. En este caso, podemos concluir que ambos obreros estarán haciendo uso de la herramienta menor de aluminio y vidrio, además, requerirán de una ingletadora y un taladro.

Una vez que hemos establecido los componentes de la categoría y sus cantidades, deberemos obtener el producto de estos valores con su tarifa horaria. Dichos resultados parciales corresponderán al costo horario de cada una de las herramientas. Vamos a suponer, que hemos determinado el costo de la tarifa horaria en 0.27 USD para la herramienta menor, 0.93 USD para la ingletadora y 0.78 USD para el taladro.

De la misma manera que lo realizamos en la categoría de la mano de obra, este costo horario corresponde al valor de ejecución de las tareas durante una hora, por lo que deberemos relacionarlo con la actividad propia del rubro mediante el valor del rendimiento de la cuadrilla.

Al obtener el producto entre el costo horario y el rendimiento estaremos obteniendo el resultado del costo del trabajo de las herramientas durante el tiempo requerido por el rubro para la ejecución de una unidad de obra, por lo que únicamente restaría realizar una sumatoria de todos los insumos presentes en la categoría a fin de obtener un costo total para esta.

En la Tabla 36 podemos observar el desarrollo de los cálculos señalados.

Tabla 36: Costo de herramienta y equipo en un rubro.

Descripción	Cantidad (A)	Tarifa horaria (B)	Total horario (C)=(AxB)	Rendimiento (D)	Costo (CxD)
Herramienta menor	2	0.27	0.54	0.4000	0.22
Ingletadora	1	0.93	0.93	0.4000	0.37
Taladro	1	0.78	0.78	0.4000	0.31
				Subtotal	0.90

Como resulta lógico pensar, el costo de la herramienta está estrictamente ligado al ejercer de los operarios, por lo mismo, las variaciones en las cuadrillas o en los rendimientos requerirán que los análisis de asignación de equipos sean modificados.

Si bien en el ejemplo hemos utilizado una cantidad puntual de herramientas, este valor dependerá de la manera de organizar el trabajo en obra. Ciertos constructores, por diferentes motivos, hacen uso de cuadrillas mucho más abundantes, lo cual repercute en un mayor gasto en la categoría de herramientas. De la misma manera, una cuadrilla a la cual se le ha implementado con mayores y mejores equipos puede ver muy beneficiado su rendimiento.

Todas estas condiciones de trabajo deberán ser analizadas en conjunto por el constructor y el presupuestador, con el objeto de definir la manera en que se ejecutarán las tareas, y pueda realizarse un análisis de costos realista.

Correlación de elementos

Debido a que la construcción es una actividad cambiante, en la que una acción concreta puede requerir de cambios en muchas otras tareas de la obra, es importante que dichos cambios se reflejen en el análisis presupuestario.

Por la vinculación que los insumos presentan en los estudios de costos, deberemos revisar sus correlaciones de manera que el rubro guarde un sentido lógico entre sus componentes.

Así como lo notamos anteriormente, un cambio que se produzca en una categoría exigirá que tomemos las acciones correctivas correspondientes en el resto del análisis, para que, de esta manera, el rubro represente de la mejor forma posible el trabajo de la cuadrilla en obra.

En la categoría de herramientas y equipos encontramos los ejemplos más claros de esta correlación entre insumos. Vamos a detallar los dos escenarios más comunes que exigen nuestra total atención cuando estamos realizando un presupuesto.

El primero de ellos está constituido por la relación entre la cuadrilla y la asignación de herramientas. Existe una total codependencia entre el tamaño de la cuadrilla, la cantidad de herramientas de las que disponen y el rendimiento del grupo.

Una cuadrilla más grande requerirá de las herramientas adicionales necesarias, por lo cual el rendimiento se verá afectado en relación con dicha disponibilidad; y al mismo tiempo, el costo de la herramienta se verá afectado también por el propio valor del rendimiento.

Dicho de otra manera, si realizamos cambios en la cuadrilla, los cambios en la asignación de herramientas deberán acompañarlos, de manera que los valores del rendimiento del rubro no se vean alterados, para que dicho rendimiento a su vez no altere el costo de la propia herramienta.

Otro escenario en donde podemos notar esta correlación se presenta en la asignación de maquinaria pesada. Si bien es cierto que el costo de alquiler de estos equipos cubre todos los gastos, esto no nos exime de presupuestar un vehículo de desalojo (de ser el caso de una excavación, por ejemplo), con lo cual deberemos realizar los cambios correspondientes en la categoría de transporte, como lo analizaremos en el Capítulo 5.

La correlación es mucho más notoria cuando se plantea el escenario en el cual el constructor tenga en propiedad la maquinaria pesada. En este caso, el presupuestador deberá analizar los costos que deberán agregarse dentro de la tarifa horaria, así como los cambios que se deberán realizar sobre las otras categorías del rubro.

Dentro de las modificaciones requeridas, se deberá considerar la adición de un operador de maquinaria pesada dentro de la cuadrilla, además del correspondiente vehículo de desalojo y los costos indirectos ligados a estos insumos.

Todas las modificaciones mencionadas pueden ser estudiadas de diversas maneras, ya sea realizando cambios en el propio rubro o incluso adicionando rubros que cubran ciertas actividades específicas. Las metodologías de cálculo que permitan realizar un estudio realista dependerán de la manera que el presupuestador desee llevar a cabo el análisis técnico.

Capítulo 5. Transporte

Como se había mencionado en el Capítulo 1, un rubro está compuesto por tres categorías principales, las cuales se encargan de estudiar los materiales, la mano de obra y las herramientas, con el objetivo de establecer el costo de los insumos necesarios para la elaboración de las tareas objeto del análisis presupuestario.

Sin embargo, existe una categoría adicional, la cual, si bien no está presente de forma permanente en un rubro, tiene la capacidad de alterar radicalmente el presupuesto total debido a los altos valores que puede llegar a alcanzar. Dicha categoría está constituida por el análisis del transporte, el cual se incluye en el rubro únicamente bajo ciertas condiciones, como lo veremos a lo largo de este capítulo.

Entendemos como costo de **"Transporte"**, a todos los gastos derivados del movimiento del material desde el lugar de abastecimiento hasta la obra, haciendo uso de vehículos apropiados, de manera que podamos obtener la mayor eficiencia posible.

El costo del transporte exige un especial cuidado al momento de calcular un presupuesto. En relación con las condiciones en las que se desarrolla un proyecto, puede influir desde muy pequeños porcentajes hasta multiplicar el costo total por factores de incluso dos cifras.

La presupuestación del transporte es, probablemente, la categoría más compleja de analizar debido a la infinidad de posibilidades que ofrece para su ejecución, razón por la cual, resulta de extrema importancia el desarrollo de una adecuada planificación de actividades, de manera que los procedimientos mediante los cuales se lleven a cabo las tareas estén perfectamente definidos, y, por consiguiente, tanto el personal de control como el personal administrativo, no se encuentren con imprevistos.

De la misma manera, el conocimiento sobre la capacidad logística de nuestros proveedores nos permitirá prever los gastos de envío de los insumos. Como se había descrito a lo largo del Capítulo 2, la negociación de precios por compras realizadas en volumen puede permitirnos solicitar no solamente descuentos en los costos del material, sino además la entrega preferencial de los insumos cotizados.

Por todas estas variaciones, resulta imposible que podamos detallar un porcentaje promedio para el estudio producto del transporte, sin embargo, la metodología de trabajo del constructor permitirá que a medida que nos especialicemos En una tipología de obra, podamos establecer el costo estimado incluso para esta categoría.

Es necesario aclarar que, si bien es cierto que muchos presupuestadores optan por no incluir los costos del transporte en los estudios debido a que consideran al uso del vehículo como un gasto de carácter personal, debemos recordar, que todo gasto vinculado a la obra que no sea presupuestado dentro de ella, resultará en un detrimento a nuestros márgenes de utilidad. Si por causa de la fuerte competencia debemos optar por reducir nuestro porcentaje de beneficios, procederemos a ello siempre y cuando estemos consientes de nuestro accionar, de modo que no terminemos obteniendo beneficios menores sin haberlo planificado.

Gestión del transporte

La presupuestación del transporte para la ejecución de una obra constituye una parte vital del análisis por su capacidad de influir en los costos totales, motivo por el cual, deberemos asegurarnos de que los escenarios planteados para el estudio presupuestario sean tan cercanos a la realidad como sea posible.

Si bien el transporte representa los costos que se habrán de generar producto del movimiento del material hasta el sitio de la obra, debemos tener en cuenta que no siempre estas actividades serán requeridas debido al tipo de servicio que ofrecen algunos proveedores. Por el contrario, existen proyectos que, por su localización, complejidad o tipo de trabajo, obligan a que se realicen fuertes inversiones en esta categoría.

El presupuestador deberá analizar, por lo tanto, la manera más adecuada de plantear la presupuestación del transporte, de acuerdo con la frecuencia con la que se lo requerirá y con los recursos de los que disponga la empresa para afrontar el proyecto de construcción.

A continuación, vamos a plantear ciertos escenarios que nos permitan vislumbrar la manera en la que los gastos por transporte pueden gestionarse dentro de un presupuesto.

Empecemos planteando un escenario en el cual, un constructor debe ejecutar un proyecto de vivienda en un centro urbano, en donde los proveedores se encuentren a corta distancia de la localización del proyecto y dispongan de todos los insumos necesarios.

En este tipo de escenarios, es bastante común que los proveedores ofrezcan la entrega gratuita de los insumos directamente en el sitio de la obra en caso de compras en volumen. Sin embargo, por factores ligados a la organización de los trabajos, se requerirá que en varias ocasiones se deba realizar pedidos menores, los cuales tendrán sus correspondientes costos de transporte.

De acuerdo con la experiencia del constructor, se puede prever los rubros en los cuales se presentarán este tipo de gastos. Por ejemplo, los materiales requeridos para desarrollar las estructuras, al ser adquiridos en conjunto, pueden ser entregados en el sitio sin costo adicional; mientras que algunos elementos que se deberán adquirir en poca cantidad generarán además un gasto de movilización, como en el caso de los aditivos, pinturas o accesorios.

Además, el costo de la movilización de los materiales puede analizarse en función de la disponibilidad de los vehículos destinados para estas tareas, con relación a si estos serán de propiedad o de alquiler, como se describe a continuación.

Si el constructor cuenta con un vehículo propio, el transporte se puede presupuestar de dos maneras.

La primera, consiste en la estimación de la distancia a recorrer, incluyéndola dentro del presupuesto en función de una tarifa por kilómetro (Km), ya sea dentro del rubro correspondiente o como un rubro independiente.

El costo del transporte estará vinculado a los gastos generados por el vehículo debido a su amortización, operación, entre otros, representados a través de dicha tarifa de recorrido, la cual calcularemos más adelante en este capítulo.

Como segunda opción, podemos estudiarla como un costo indirecto dentro de la obra, detallando el gasto en transporte como un valor global producido por un vehículo destinado a estas tareas y calculado en una tarifa mensual. Esta metodología es muy útil cuando prevemos un uso constante de los vehículos correspondientes.

Por el contrario, en caso de que el constructor opte por el uso de vehículos de alquiler o renta, estos valores se podrán ingresar dentro de la categoría de transporte en un rubro específico, o también como un rubro independiente.

De cualquiera de las dos maneras, la tarifa de los vehículos estará señalada por el costo del alquiler que hemos negociado con el proveedor. Este valor generalmente se negocia por **"Viaje"**.

De esta manera, el costo del transporte estará ligado tanto a la cantidad de viajes, tarifa del vehículo y a la capacidad de este; como lo analizaremos más adelante.

Esta diferenciación de costos en relación con el tipo de servicio que brindará un vehículo nos permite analizar prácticamente cualquier escenario, ya sea de los más habituales, como el descrito anteriormente, o aquellos que exigen mayor experiencia.

Plantearemos ahora otro escenario de presupuestación, que, si bien es menos frecuente, requiere especial atención. Este se caracteriza por la remota localización del proyecto respecto a la ubicación de los proveedores, además de presentar un acceso restringido por vía terrestre. Este constituye el escenario más complejo de análisis de transporte y exige un alto grado de experiencia por parte del presupuestador; sin embargo, podrá ser igualmente ana lizado bajo los conceptos anteriormente señalados en relación cor los vehículos requeridos para las actividades de transporte y la: tarifas de estos.

Para este ejemplo, el presupuestador analizará los mecanismo: más rentables para la movilización del material, y, por tanto, el so brecoste generado por esta actividad sobre el total del presupuesto.

Existen, por ejemplo, proyectos que se llevan a cabo en medio d(lugares boscosos, cuyo único acceso es mediante transporte fluvial En estas situaciones, puede incluso darse el caso de que el costo tota del conjunto de las demás categorías no constituya la inversión má: importante dentro del presupuesto, mientras que si lo representará e transporte de los insumos.

Es muy común también en la construcción de oleoductos, que la maquinaria deba ser ingresada al lugar de trabajo por vía aérea, er estos casos, es evidente esperar que el costo del transporte constituya una parte superlativa en el presupuesto.

Como podemos observar, el costo generado en esta categoría de- penderá siempre del escenario en el que se desarrollarán las obras de construcción, pudiendo representar porcentajes muy bajos dentro del total presupuestal, o, por el contrario, los gastos más importantes dentro del análisis.

Podemos asegurar, por lo tanto, que la base del cálculo presupues- tario de esta categoría estará constituida por la planificación de las tareas y el diseño de protocolos, ya que de su buena organización de- penderá en gran medida que se deba incurrir en gastos de transporte de los cuales se pueda Prescindir.

Entenderemos como **"Protocolos"**, a la organización y descripción de los procesos con los cuales las tareas serán ejecutadas por parte del personal tanto de obra como de control.

Planteemos el caso en el que hemos diseñado un protocolo en el cual se detalla que todo el acero estructural deberá adquirirse en un único pedido, de manera que se pueda solicitar una entrega gratuita. El personal de control de obra tendrá de esta manera, la seguridad de que el equipo administrativo realizará los pedidos y los pagos correspondientes, de manera que podrá contar con la cantidad fija del material y no tendrá imprevistos por la falta de este; de la misma manera, el personal administrativo estará seguro de que no se presentarán repentinos pedidos de dicho material por parte del personal de control de obra, de manera que no tendrán que realizar desembolsos inesperados.

Este ejemplo tan sencillo, evidencia cómo la organización interna de una empresa es la clave para lograr un trabajo fluido en todos los niveles.

De igual forma, habrán de plantearse protocolos que describan la manera de proceder del personal al momento de ejecutar rubros que requieran de transporte, de manera que los vehículos puedan estar presentes oportunamente y los trabajos no resulten paralizados por la ausencia de estos. Esta organización resulta imperiosa cuando se estén ejecutando proyectos con alta incidencia del transporte.

Tarifa del transporte

De la misma manera que en las anteriores categorías, para presupuestar el costo de los insumos presentes en esta sección, será necesario que definamos una unidad de cálculo, la misma que pueda ser relacionada con la unidad de obra y los demás insumos presentes en el rubro.

Estudiaremos los costos relacionados al transporte mediante la tarifa del vehículo, ya sea que esta se genere por un valor fijo de alquiler, o por los costos de su funcionamiento. Dicha tarifa nos permitirá multiplicarla tanto por la cantidad de viajes a realizar, como por la cantidad de Km a recorrer, de acuerdo con la manera de ejecutar las obras.

Como se había mencionado anteriormente, en caso de analizarse el costo del transporte haciendo uso de vehículos de alquiler, la tarifa de estos estará constituida por el valor monetario negociado con el proveedor del servicio, dicho valor se incluirá directamente al análisis del rubro.

Por otro lado, el proceso de análisis de la tarifa por Km recorridos se lo realiza de manera bastante similar al estudio de la tarifa horaria de la herramienta eléctrica, con la particularidad de que, al tratarse de equipos de alto costo, deberemos tomar ciertas consideraciones a fin de que el análisis refleje las características de estos equipos.

El escenario más común en la ejecución de una obra consiste en hacer uso de un vehículo de carga liviana, el cual por lo general se encarga de prestar los servicios en los rubros que no requieran el traslado de volúmenes de material demasiado generosos, en cuyo caso se deberá hacer uso de un vehículo mediano o pesado.

Al momento de calcular la tarifa por Km de un vehículo, podremos notar que todos estos, de manera general, presentan los mismos tipos de gastos, haciendo diferenciación únicamente en su costo unitario, por lo que podremos aplicar el mismo proceso de análisis para todos los tipos de vehículos. Los cálculos descritos a continuación se desarrollan en la Tabla 37.

Para calcular la tarifa por Km de un vehículo en propiedad, primeramente debemos contar con las características de este, las cuales serán provistas por el fabricante. Entre ellas podemos detallar el consumo de combustible y la periodicidad con la cual se recomienda realizar los cambios de lubricantes y filtros. Se debe tener en cuenta que, si el vehículo no tiene un manejo adecuado de los mantenimientos requeridos, verá gravemente afectado su desempeño y su vida útil total.

De la misma manera, para realizar el análisis deberemos conocer el **"Costo Inicial"** del vehículo, el cual corresponde al valor de este a estrenar. Requeriremos además del **"Valor Residual"** del equipo, el cual consiste en el costo del vehículo una vez que ha concluido su vida útil y es ofertado en el mercado como vehículo de segunda mano.

Normalmente podemos realizar una estimación general para los vehículos y la maquinaria pesada, promediando una vida útil de 10 años, lo cual corresponde aproximadamente a entre 15000 y 20000 horas de trabajo, dependiendo de la calidad del equipo.

De la misma manera, resulta una aproximación muy acertada, el Considerar para el costo residual Del vehículo un promedio del 10% del costo inicial, sin embargo, se recomienda analizar las ofertas a fin de obtener los costos reales que se manejan en el mercado de vehículos usados.

Debemos tener en cuenta que, en relación con la marca del vehículo, el costo residual podría verse severamente afectado; por lo mismo, antes de considerar la adquisición de un equipo, deberemos analizar la percepción que el mercado tiene sobre la marca, de manera que podamos planificar nuestras inversiones más eficientemente. A continuación, analizaremos un caso en el cual se puede observar este fenómeno.

A manera de ejemplo, vamos a presupuestar el costo de una camioneta, la cual hemos cotizado en un valor de 27000 USD. El fabricante establece un consumo promedio de 0.085 litros por km recorrido, y recomienda que se realicen los cambios de lubricante y filtros cada 5000 km.

Además, plantearemos el escenario en el que requiramos conservar la camioneta durante 7.5 años. Sin embargo, hemos observado que los valores de venta de los vehículos de esta marca están siendo bastante castigados en el mercado de segunda mano, con lo cual podemos establecer el costo residual de la camioneta en 2500 USD.

Para obtener la tarifa por distancia recorrida del vehículo deberemos realizar las siguientes consideraciones:

Amortización

Representa el valor de la depreciación del equipo con el paso del tiempo, este valor deberemos recuperarlo al final de la vida útil del vehículo. Su cálculo se obtiene al restar el costo residual del costo inicial correspondiente.

Este valor representará la amortización total, sin embargo, hemos establecido que planeamos hacer uso del vehículo durante 7.5 años, por lo cual deberemos dividir la amortización total para dicha vida útil, de tal manera, estaremos obteniendo el valor de la amortización anual.

Costo de oportunidad

Nos referimos como **"Costo de Oportunidad"**, a los valores que dejaremos de percibir si decidiéramos invertir nuestro capital en otros mecanismos financieros, en lugar de realizar la compra de un equipo.

Debemos tener en cuenta que, el dinero líquido del que disponemos, siempre Puede ser colocado en una inversión a plazo fijo, la cual con un mínimo riesgo es capaz de devolvernos un interés sobre nuestro capital. Al momento que dejamos de realizar este tipo de inversiones para llevar a cabo la compra del vehículo, estaremos dejando de percibir los ingresos que podría generar dicha inversión.

Ya que se ha sugerido hacer uso de tablas dinámicas para realizar el análisis presupuestario, haremos uso de las fórmulas de Microsoft Excel para obtener este valor de manera sencilla.

La fórmula a continuación detallada, nos permitirá calcular el interés compuesto para el capital correspondiente al costo inicial del vehículo, respecto a una tasa porcentual, la cual fijaremos de acuerdo con la oferta realizada por las entidades financieras para dicho capital (tasa anual). Este interés se calculará en relación con el período expresado en años, el cual está representado por la vida útil del vehículo; de la siguiente manera:

=VF(Tasa, período, 0, - costo inicial, 0)

A este valor calculado deberemos restarle el capital inicial, de modo que obtengamos únicamente el valor correspondiente a los intereses.

Debemos comprender el concepto en el cual estamos estableciendo el perjuicio sobre nuestro capital en una tasa porcentual X, la cual representa el porcentaje que perderemos año tras año al no realizar una inversión mediante una herramienta financiera, como lo constituyen los depósitos a plazo fijo o similares. Por tal razón, dichos valores deberán ser retribuidos por la inversión que realizaremos en el vehículo.

Para obtener el interés total dividido en términos de la vida útil, bastará con relacionar dichos valores a fin de obtener el interés medio anual.

Costos fijos

Constituyen todos los gastos que el vehículo generará durante un año por concepto de contratación de seguros, matriculación y obtención de patentes y permisos, y costos de estacionamiento, lavado, entre otros.

La sumatoria de estos gastos anuales deberá adaptarse a la realidad de cada constructor, es decir, se calculará con los gastos reales generados, de manera que presentarán variaciones entre los valores obtenidos por cada profesional.

Los gastos calculados hasta el momento representarán un total de los costos anuales, en los cuales realizaremos una sumatoria de los valores generados por amortización, interés medio y costos fijos. La obtención de este valor total anual será un valor clave para el cálculo final de la tarifa del vehículo.

Costos de funcionamiento

Los costos analizados en esta sección corresponderán a los valores generados por la acción del vehículo, es decir, dependerán de los gastos relacionados a la actividad del constructor y el uso intensivo que haga de él.

Para esto, deberemos establecer el recorrido promedio que se realizará, así como el costo del combustible, los cambios de lubricante y filtros, el costo del juego de neumáticos y los elementos de recambio en caso de que los tenga. Es conveniente recordar, que todos los cálculos deberemos realizarlos a fin de obtener los gastos totales durante un período anual.

Dentro de estos gastos de funcionamiento, empezaremos por analizar el costo del consumo de combustible. Este valor lo obtendremos de relacionar el recorrido anual con el costo del combustible y el consumo promedio del vehículo.

Otro de los factores a considerar es el costo de los lubricantes y los cambios de filtros. Para ello, partiremos del recorrido anual del vehículo, el cual lo relacionaremos con el recorrido recomendado por el fabricante para realizar los mantenimientos y el costo de cada uno de los trabajos de recambio.

Un factor clave de analizar, está constituido por el costo de las reparaciones. Debemos tener en cuenta que, de acuerdo con la calidad tanto del mantenimiento recibido como con la calidad del propio vehículo, este incurrirá en los valores por reparaciones. Sin embargo, se puede establecer un costo promedio respecto al costo de la amortización anual dividida entre 2.

Debemos tener en cuenta que, si bien todo equipo los primeros años de vida útil prácticamente no incurre en gastos de reparación, estos costos se Presentarán de manera reiterada con el paso de los años, por lo tanto, se requerirá que calculemos dichos valores totales promediados de manera anual para la vida útil del equipo.

Finalmente, deberemos analizar como gastos operativos, al desgaste que sufren tanto los neumáticos como las piezas de recambio que posea el vehículo.

El valor de los neumáticos estará dado por el costo del juego dividido para la cantidad de km de recorrido que se considera como valor promedio para estos elementos, y relacionado con el total de km que recorrerá el vehículo en un período de un año. Es normal considerar un promedio de 40000 km en total de recorrido para los neumáticos duros.

En caso de la maquinaria pesada, los elementos de recambio lo constituyen las partes propias de cada vehículo en específico, las cuales se relacionan con su tipo de actividad, el total de horas promedio de duración y la cantidad de horas al año en las cuales estarán activas.

La sumatoria de todos estos valores, constituyen los gastos operativos del vehículo, los cuales conforman junto con los gastos anuales, los aspectos principales para la obtención de una tarifa para el cálculo presupuestario.

Costo de operación

Entenderemos como **"Costo de Operación"**, a los valores totales generados producto de la inversión realizada en el vehículo y el funcionamiento de este durante el año. Su cálculo se obtiene mediante la sumatoria del total de los costos anuales y los costos de funcionamiento.

Si bien hemos estado realizando los estudios con el objeto de encontrar el costo anual de un vehículo, este resultado será de utilidad para el cálculo de los costos indirectos de la empresa, como lo analizaremos en el Capítulo 6; mientras que, para el estudio de un rubro, será necesario que transformemos esta cifra de manera que exprese el costo en km de recorrido o a su vez en horas de uso.

Con este objetivo, deberemos partir siempre desde el total anual calculado. Esto se debe a que para un análisis presupuestario deberán de abarcarse todos los escenarios posibles, por tal motivo, el estudio debe realizarse durante un lapso lo suficientemente amplio como para poder establecer valores promedios.

Para obtener el costo mensual del vehículo, bastará con relacionar el costo total anual con los 12 meses del año. Este valor se utiliza normalmente cuando se busca establecer el costo del vehículo para presupuestarlo como un porcentaje indirecto; o a su vez, cuando existen contratos fijos por prestación de servicios de transporte, de manera que deberá negociarse un pago mensual.

Adicionalmente, conviene también establecer una tarifa horaria. Este valor lo aplicaremos en caso de que estemos presupuestando una maquinaria que requiera de este tipo de tarifas como lo analizamos en el Capítulo 4. Hay que detallar que, si el procedimiento aquí presentado se utilizará para el análisis de este tipo de equipos, deberá sustituirse el valor del recorrido mensual por el número de horas de uso en el mismo período.

Para el cálculo de la tarifa horaria deberemos relacionar el total anual obtenido con la vida útil del equipo y con las horas promedio de trabajo de los vehículos o la maquinaria. Como se había mencionado anteriormente, para la maquinaria pesada se considera un promedio de la vida útil entre 15000 y 20000 horas de funcionamiento, dependiendo del fabricante.

Finalmente, deberemos calcular la tarifa por Km recorrido, para lo cual, deberemos relacionar el costo total anual con el recorrido que realizará el vehículo durante el año. Este valor representará el costo por Km de movilizar un vehículo, el cual deberemos ingresarlo a nuestro estudio presupuestario como la tarifa de este.

En la Tabla 37 podemos observar el desarrollo de los cálculos para la obtención de las tarifas descritas.

Tabla 37: cálculo de la tarifa del transporte.

Datos de la Maquinaria	
A. Costo Inicial	$27,000.00
B. Vida Útil (años)	7.5
C. Costo Residual	$2,500.00
D. Consumo de Combustible (l/Km)	0.085
E. Periodicidad del cambio de aceite (## Km)	5000
Amortización	
Concepto	Valor Anual
Amortización (A-C)	$24,500.00
F. Amortización Anual (A-C)/B	$3,266.67
Costo de oportunidad	
G. Tasa	5.00%
Concepto	Valor Anual
H. Interés total (Interés compuesto - A)	$11,929.92
J. Interés Medio (H/B)	$1,590.66
Costos Fijos	
Concepto	Valor Anual
Seguro	$1,200.00
Matriculación	$500.00
Estacionamiento	$0.00
Lavado	$520.00
Otros	$0.00
K. Total Costos Fijos	$2,220.00
Costos Anuales	
Concepto	Valor Anual
Amortización (F)	$3,266.67
Interés Medio (J)	$1,590.66
Costos Fijos (K)	$2,220.00
M. Total Costos Anuales	$7,077.32

Costos de Funcionamiento	
N. Recorrido Mensual (Km)	2.500.00
O. Costo Combustible $/l)	$0.89
P. Costo del cambio de Aceite y Filtros	$60.00
Q. Costo del juego de neumáticos	$400.00
R. Costo del juego de elementos de Recambio	$0.00
Concepto	Valor Anual
Combustible (DxNxOx12)	$2,269.50
Lubricantes (Nx12)/(ExP)	$360.00
Reparaciones (F/2)	$1,633.33
Neumáticos (Q/40000)x(Nx12)	$300.00
Recambios (R/4000)x2000	$0.00
S. Total Costos de Funcionamiento	$4,562.83
Costo de Operación	
Concepto	Costo
T. Costo total anual (M+S)	11,640.16
U. Costo mensual (T/12)	970.01
V. Costo horario (TxB)/15000	5.82
X. Tarifa km T/(Nx12)	0.39

Como podemos observar, los cálculos de las tarifas horarias y por distancia recorrida requieren del análisis profundo de los gastos en los que se habrá de incurrir con el vehículo, de manera que podamos establecer un valor con la seguridad de que nuestra inversión obtendrá unos retornos que puedan ser previstos y que resguarden nuestra inversión.

Si bien necesitamos comprender diferentes conceptos, el uso de tablas dinámicas nos permite analizar con suma rapidez cualquier tipo de maquinaria requerida mediante la sustitución de datos clave.

por lo cual, se recomienda el uso de dichos instrumentos, así como de herramientas digitales especializadas en el análisis presupuestario para la industria de la construcción.

La recopilación de datos históricos es de vital importancia para el estudio de costos. A pesar de que hemos estado calculando las tarifas en relación con valores promedio, la máxima precisión en nuestros cálculos los lograremos al momento de ejecutar el análisis con datos reales del funcionamiento de estos. Valores como los costos de mantenimiento, consumo de combustible, entre otros, pueden evidenciar importantes diferencias al ser contabilizados en conjunto durante la vida útil del vehículo. Por tanto, es indispensable que vayamos optimizando el valor de todas nuestras variables a medida que vamos obteniendo información de calidad.

Costo del transporte

El costo del transporte puede obtenerse de distintas maneras dependiendo de la necesidad del presupuestador, por tal motivo, requiere que comprendamos las formas en las que este servicio puede ser provisto y como se habrá de implementar dicho valor en un estudio de costos.

Como ya se había mencionado anteriormente, el costo del transporte puede presupuestarse de acuerdo con una tarifa por Km en caso de disponer de vehículos propios, o en relación con el costo del flete al hacer uso de un vehículo alquilado. Este particular nos dará la pauta para establecer la unidad de obra y de cotización, según corresponda.

Planteemos a manera de ejemplo, el escenario en el cual debamos calcular el costo del transporte en un rubro de excavación, para el cual, emplearemos un volquete de 8 m^3, con el objetivo de desalojar un volumen total de 80 m^3 de material excavado.

Debido a que este rubro tiene al m^3 como unidad de obra, deberemos obtener un costo calculado como m^3·Km, m^3·Viaje o directamente como Viaje.

Resulta evidente mencionar, que el costo deberá considerar el volumen que es capaz de transportar el vehículo, para lo cual, se debe relacionar el volumen de carga total con la unidad de obra. A esta relación la denominaremos **"Capacidad"**.

En el caso del ejemplo planteado, al dividir el costo del transporte para los 8 m^3 correspondientes al volumen del vehículo, estamos asignando la octava parte del costo del vehículo a cada m^3 de material a desalojar. Este cálculo se lo realiza en caso de que requiramos distribuir el costo del transporte entre la unidad de obra, con lo cual, para calcular el costo total, simplemente se lo multiplicaría por el cómputo de cantidades del rubro.

Unidad de obra: 1 m^3
Volumen del vehículo= 8 m^3
Capacidad= 1 / 8
Capacidad= 0.125

Este factor obtenido, tendremos que multiplicarlo posteriormente con la cantidad respecto a la unidad de cotización (Km o Viajes) y la tarifa correspondiente.

Vamos a suponer, que deberemos transportar un material una distancia de 20 km, haciendo uso de un vehículo propio y la tarifa que hemos calculado para este es de 0.74 USD/ km, con lo cual, procederemos a calcular el costo correspondiente.

Costo= Capacidad x Cantidad x Tarifa
Costo= 0.125 x 20 Km x 0.74$
Costo= 1.85 USD por m^3 x 80 m^3
Costo Total= 148 USD

En caso de que hayamos optado por calcular el costo haciendo uso de un vehículo alquilado, cuya tarifa supondremos en 30 USD, el resultado será el siguiente:

Costo= Capacidad x Cantidad x Tarifa
Costo= 0.125 x 1 Viaje x 30$
Costo= 3.75 USD por m^3 x 80 m^3
Costo Total= 300 USD

En conclusión, utilizaremos el concepto de capacidad para asignar el costo del transporte a cada unidad de material que el vehículo es capaz de transportar. En el caso, por ejemplo, que deseáramos asignar el costo de transporte de un vehículo que es capaz de transportar 400 m de tubería; la capacidad se definiría como 1/400.

Otra manera de analizar el costo del transporte consiste en la presupuestación de este haciendo uso de un vehículo rentado, pero planteando el estudio de acuerdo con cada viaje realizado.

Debido a que la unidad de obra hará uso del volumen total del vehículo, la capacidad será siempre igual a un factor de 1, por lo que deberemos analizar la cantidad de viajes necesarios para transportar el volumen total de material.

Unidad de obra: 1 viaje

Cantidad de viajes para transportar 8 m³ (volumen del vehículo)= 1

Capacidad= 1 / 1

Capacidad= 1

Al igual que en el caso anterior, este factor deberemos multiplicarlo por la cantidad de unidades de cotización (Viajes)y la tarifa del vehículo alquilado.

Costo= Capacidad x Cantidad x Tarifa

Costo= 1 x 1 Viaje x 30$

Costo= 30.00 USD por viaje x 10 Viajes (Cantidad necesaria para transportar 80m³)

Costo Total= 300.00 USD

Finalmente, el costo total de la categoría corresponderá a la sumatoria de todos los elementos de transporte incluidos en el rubro. En la Tabla 38, podemos observar el desarrollo de los costos del transporte, en la cual se ha ejecutado ambos métodos de cálculo y se los ha incluido dentro de un mismo rubro, solamente para ejemplificar como se debería realizar la sumatoria de costos en caso de que sea requerido.

Tabla 38: Costo del transporte en un rubro.

Descripción	Capacidad (A)	Cantidad (B)	Unidad	Tarifa (C)	Costo (AxBxC)
Volquete m³-Km	0.125	20	Km	0.74	1.85
Volquete 1 m³-Viaje	0.125	1	viaje	30	3.75
Volquete Viaje	1	1	viaje	30	30
				Subtotal	35.60

Como podemos observar, el análisis del transporte está completamente vinculado a la unidad de obra en la que necesitamos desarrollar el cálculo. Por tal motivo, debemos tener siempre presente la capacidad de carga del vehículo del que disponemos.

De los cálculos anteriores, podemos obtener ciertas conclusiones respecto a los costos del transporte. Si bien es cierto que el costo de este insumo es menor al hacer uso de un vehículo propio, debemos considerar que será indispensable el agregar la mano de obra para la operación de este, mientras que, al hacer uso de un vehículo alquilado, todos estos valores estarán incluidos en el costo; sin mencionar los gastos operativos y logísticos adicionales que evitaremos.

El estudio de costos del transporte deberá ser muy bien analizado, con el objeto de tomar las decisiones que rentabilicen de mejor manera nuestra inversión en el proyecto de construcción.

Capítulo 6. Presentación de resultados

Como lo hemos visto a lo largo de este libro, el mecanismo para describir las tareas que se realizarán en una obra de construcción, de manera que se pueda establecer un costo para cada una de ellas, se consigue mediante la aplicación del análisis de precios unitarios.

El estudio de costos de dichas tareas o rubros constituye el fundamento del cálculo presupuestario, ya que establece tanto el sustento técnico de nuestro análisis, como también un mecanismo legal, que nos permite determinar las responsabilidades contractuales que asumiremos con el cliente.

Debido a la gran cantidad de rubros para analizar, el presupuestador requerirá diseñar un mecanismo de presentación, el cual además de resumir los análisis ejecutados en los rubros, le permita realizar una sumatoria del total de costos del proyecto de acuerdo con las cantidades de obra correspondientes.

Sin embargo, la cantidad de rubros estudiados representa un volumen de información demasiado generoso como para que pueda presentársele al cliente en un primer contacto. En términos generales, podemos mencionar que para el estudio de costos de una vivienda promedio, se puede requerir alrededor de 100 diferentes rubros básicos, mismos que pueden fácilmente sobrepasar los 150

APU's dependiendo de la separación de tareas que el presupuestador acostumbre a realizar. Para construcciones de gran envergadura en proyectos estatales, por ejemplo, es muy común que un presupuesto presente varios cientos de rubros, alcanzando incluso los millares.

Debemos considerar por tanto la psicología del cliente, quien intentará alejarse de inmediato de toda situación que le genere un conflicto, en este caso, verse abrumado por una cantidad ingente de información que no es capaz de comprender. Por tal razón, deberemos preparar una presentación únicamente con los datos más relevantes que nos permitan explicar nuestra propuesta de forma clara.

Debemos recordar, que el cálculo de los rubros no incluye los conceptos adicionales que deben ser agregados al estudio de costos, por lo cual, deberemos realizar este paso previo como se detallará más adelante.

Diseño de un rubro de acuerdo con las especificaciones técnicas

Ahora que conocemos el mecanismo de análisis de un rubro, debemos tener en cuenta que los procesos constructivos deben ser ejecutados siguiendo una serie de técnicas preestablecidas.

Es normal que, cuando realicemos un presupuesto que será presentado a una institución pública, esta señale una serie de lineamientos específicos con los cuales desea que se lleven a cabo los trabajos en obra. A estos lineamientos los llamamos **"Especificaciones Técnicas"**.

Es indispensable, antes de iniciar el análisis de un rubro, que entendamos a la perfección el proceso que se nos solicita seguir para ejecutar una tarea, de manera que los procesos descritos cumplan con tales exigencias y nuestra propuesta no sea rechazada.

A continuación, se puede observar un ejemplo De la manera en la que se detallan las especificaciones técnicas de un rubro, en este caso, para la construcción de una mampostería la cual incluye el recubrimiento:

"Se construirá con bloque de hormigón simple, de 15 x 20 x 40 cm, pegados con mortero cemento – arena 1:2, de 2.00 cm de espesor. Se arriostrarán con chicotes de 8 mm a las columnas de hormigón, los cuales tendrán 60 cm de largo y estarán espaciados entre sí a 60 cm, estos deberán coincidir con los ejes de las paredes.

Los bloques Serán de masa homogénea, bien fraguados, sin grietas, de forma rectangular y tamaño uniforme, duros y con una resistencia no menor a 10 kg/cm^2, ensayados de acuerdo con las normas locales vigentes.

Todas las hiladas serán perfectamente niveladas, trabadas y aplomadas. La mampostería irá debidamente nivelada a la altura determinada en planos, se dejarán los pasos necesarios para las instalaciones sanitarias y eléctricas, que luego serán fundidas con la mampostería a fin de obtener un empotramiento uniforme.

La mampostería será revestida por ambos lados, empleándose un mortero cemento – arena 1:3, que se batirá hasta obtener una composición homogénea. La argamasa será de 1.00 cm de espesor tanto horizontal como vertical, debidamente revocada y las estructuras deberán ser delineadas."

Como podemos observar, estas especificaciones constituyen las directrices para el diseño del rubro correspondiente. En la Tabla 39 se presenta una plantilla para el diseño de un rubro calculado de acuerdo con las especificaciones provistas anteriormente.

Tabla 39: Plantilla de cálculo de un rubro.

Rubro:	Mampostería de bloque 15 cm incluye revestimiento		
Unidad:	m^2	Costo	$25.97

Materiales				
Descripción	Cantidad (A)	Unidad	Precio Unitario (B)	Costo (AxB)
Bloque 15x20x40	13	U	0.36	4.68
Mortero 1:2	0.03	m^3	108.99	3.27
Mortero 1:3	0.02	m^3	90.42	1.81
Acero de refuerzo 8mm	0.19	Kg	0.79	0.15
			Subtotal	9.91

Mano de obra					
Descripción	Cantidad (A)	Salario horario (B)	Total horario (C)=(AxB)	Rendimiento (D)	Costo (CxD)
Maestro mayor	0.1	3.66	0.37	0.6150	0.23
Albañil	2	3.3	6.60	0.6150	4.06
Peón	2	3.26	6.52	0.6150	4.01
				Subtotal	8.29

Herramientas y Equipos

Descripción	Cantidad (A)	Tarifa horaria (B)	Total horario (C)=(AxB)	Rendimiento (D)	Costo (CxD)
Herramienta menor	4	0.27	1.08	0.6150	0.66
				Subtotal	0.66

Transporte

Descripción	Capacidad (A)	Cantidad (B)	Unidad	Tarifa (C)	Costo (AxBxC)
Camioneta	0.667	10	Km	0.39	2.60
				Subtotal	2.60

Total de Costos Directos	21.47
% Indirectos	20.97%
costo Ofertado	25.97

Como podemos observar, sobre el valor total obtenido por concepto de costos directos calculado para el rubro, deberá aplicarse un porcentaje adicional correspondiente a los costos indirectos, de manera que los valores presentados al cliente constituyan nuestra propuesta final de servicios.

Cálculo de los costos indirectos

Los costos indirectos involucrados en un proyecto constituyen una parte fundamental en el análisis presupuestario, ya que es en esta sección donde estudiamos los valores que nos permiten tener una rentabilidad adecuada, que garantice nuestra supervivencia a mediano y largo plazo como constructores.

Como habíamos analizado en el Capítulo 1, los costos indirectos son todos aquellos gastos que se presentan en la obra y que no están directamente involucrados en los rubros de esta. La complejidad del cálculo de dichos valores radica en la gran cantidad de elementos a considerar, los cuales, al ser gastos presentes en la actividad cotidiana del constructor, suelen pasar inadvertidos.

Los costos indirectos dependen de tres factores básicos para su estudio, los cuales deberemos analizar en cada proyecto de manera independiente. A continuación, se detallan los conceptos y los procesos requeridos para el cálculo de dichos valores.

Presupuesto anual o capacidad constructiva

Entenderemos como **"Capacidad Constructiva"**, al presupuesto anual promedio que un profesional o una empresa es capaz de ejecutar durante un año.

Un constructor, dependiendo de su capacidad tanto económica como administrativa, es capaz de llevar a cabo una cantidad limitada de proyectos, cada uno de ellos descritos por su presupuesto total. Si durante el año este logra ejecutar 3 proyectos con un costo X, concluirá que su capacidad constructiva es de 3X.

Esta capacidad constructiva es la base del cálculo de costos indirectos, ya que sobre este valor se establecerán los porcentajes correspondientes, por lo tanto, deberá analizarse dicho valor en base a los datos históricos o posibilidades reales del profesional o la empresa. Si realizamos análisis tanto demasiado optimistas como pesimistas, terminaremos por obtener cálculos de costos indirectos que no correspondan a la realidad, lo cual perjudicará nuestros beneficios.

Costo directo de la obra

Al momento que hemos concluido el análisis de precios unitarios, obtendremos una lista detallada de todos los rubros y cantidades de obra, mismos que nos indicarán el costo total del proyecto, como se explica más adelante. Este costo directo será requerido dentro del análisis para establecer los costos que se desprenderán de la ejecución de esta obra en concreto.

Plazo de la obra

En correspondencia con el costo directo de la obra, el constructor deberá ejecutar la misma en un tiempo determinado, para el cual deberá establecer los mecanismos correspondientes para lograr dicho objetivo.

El tiempo en que se ejecute una obra se denomina **"Plazo"**, el cual deberemos presentarlo en meses para nuestros estudios.

Los factores descritos anteriormente, nos permitirán establecer un valor porcentual requerido para el funcionamiento normal ya sea de la empresa constructora o del constructor autónomo, con lo cual, únicamente nos resta estudiar a fondo los gastos fruto de la actividad profesional como se describe a continuación.

Los costos indirectos están basados en tres partes, los cuales corresponden a los costos administrativos, los costos indirectos de la obra y los costos porcentuales del proyecto. Establezcamos un ejemplo que nos permita analizar estos componentes de mejor manera.

Vamos a suponer, que una empresa es contratada para ejecutar un proyecto que tiene un costo total de 650000 USD, para el cual se le ha señalado un plazo de 7 meses. La empresa, al momento de analizar sus cifras históricas, establece que tiene una capacidad constructiva de 3500000 USD. Los conceptos descritos a continuación se desarrollarán más adelante en la Tabla 40.

Costos administrativos

Entenderemos como **"Costos Administrativos"**, a los gastos que la empresa requiere realizar para mantenerse operativa, además de gestionar el desarrollo de las obras de construcción y conseguir nuevos contratos.

Estos costos pueden detallarse de la siguiente manera:

Amortizaciones y alquileres, los cuales corresponden a los bienes de la empresa que pierden valor con el paso del tiempo o deben pagar una renta mensual. Una empresa de gran tamaño, como la descrita en nuestro ejemplo, requerirá de contar con oficinas, bodegas, vehículos y diferentes equipos electrónicos para el trabajo del personal.

Pago de servicios, como pueden ser la energía eléctrica, telefonía, internet, entre otros.

Sueldos del personal administrativo; para nuestro ejemplo, podemos detallar el sueldo del personal de secretaría, recepción y mensajería, así como los sueldos del gerente, los jefes departamentales, entre otros.

Gastos de oficina, correspondientes a los implementos que el personal administrativo requiere para llevar a cabo sus funciones.

Impuestos, que deberemos pagar en base a las actividades de la empresa y de acuerdo con la legislación regente en la localidad donde ofrecemos nuestros servicios. Debido a que los valores se deben analizar por su costo mensual, deberemos prorratearlos respecto a sus totales anuales.

Para el movimiento de la empresa de nuestro ejemplo, podemos suponer que incidirá en altos valores por concepto de impuesto sobre la renta, así como los gastos notariales requeridos para su gestión, entre otros.

Seguros, constituidos por las pólizas contratadas tanto para los bienes muebles e inmuebles, como para el personal de la empresa.

Como podemos observar, en este apartado se ha detallado exclusivamente los costos relacionados a la gerencia de la empresa, dejando fuera a los costos presentes en las obras. Dichos elementos se estudian en la siguiente sección del análisis.

Costos indirectos de la obra.

Entenderemos como **"Costos Indirectos de la Obra"** a todos los elementos que permiten la ejecución apropiada de las obras de construcción. De la misma manera en que analizamos los costos administrativos, los cuales detallaban los valores generados producto de la gerencia de la empresa, en este apartado se analizan exclusivamente los gastos Generados por la administración de la obra en estudio.

Los elementos para analizar en este apartado incluyen:

Personal en obra, constituido por el personal de control y todos quienes permitan el buen desarrollo de las obras sin intervenir dentro de los rubros. Para nuestro ejemplo, podremos considerar al personal de residencia, seguridad, bodegaje, entre otros.

Debemos tener en cuenta, que estos gastos se presentarán de manera recurrente durante el tiempo de ejecución de las obras, por lo que deberemos realizar ciertas consideraciones para el cálculo final, como se detalla más adelante.

Gastos globales, los cuales incluirán la infraestructura que permita el trabajo de los obreros, así como sus equipos de seguridad, entre otras.

Costos porcentuales del proyecto

A pesar de que se ha analizado los costos indirectos relacionados al personal, existen valores indirectos que deben adicionarse al presupuesto en un grado porcentual del costo total, estos se denominan **"Costos Porcentuales del Proyecto"**. Entre estos se incluyen:

Financiamiento, el cual corresponderá a los intereses que debamos pagar en caso de que hayamos solicitado créditos para ejecutar las obras.

Fiscalización, correspondiente al costo de un equipo de inspección interna en caso de que sea requerido. Este costo se puede establecer en un porcentaje promedio del 3% en caso de que se solicite dicho servicio a terceros.

Garantías de cumplimiento, correspondientes a las pólizas de seguro que se suelen exigir al constructor al momento de asignarle un contrato, generalmente con entidades estatales.

Imprevistos, correspondiente a un porcentaje promedio del 3 al 8% del presupuesto por circunstancias no contempladas en la ejecución de las obras. El porcentaje puede ser estimado de acuerdo con la similitud con proyectos semejantes realizados por el constructor. Es importante detallar, que en el caso de que no se presenten imprevistos por el valor total que hemos estimado, la diferencia podrá ser considerada como utilidad.

Utilidad, correspondiente al beneficio sobre el total de la obra que el constructor estima obtener como ganancia por sus servicios profesionales. Se suele establecer en un rango de entre el 8 y el 15%.

Como podemos observar, el análisis de los costos vinculados al proyecto de construcción permite establecer los gastos que no se incluyen en el análisis de precios unitarios, de manera que todos los servicios brindados sean cubiertos por el presupuesto que ofertaremos.

Como se había mencionado anteriormente, todos estos valores deberemos relacionarlos con los presupuestos totales de la empresa, a fin de obtener un valor porcentual correspondiente a los costos indirectos, como se detalla a continuación.

Resultado de costos indirectos

Una vez detallados los costos producto de la gerencia tanto de la empresa en general como de un proyecto específico, debemos obtener un valor porcentual, el cual podamos añadir a nuestro presupuesto de obra. La obtención de dichos valores se logra al relacionar los costos de cada sección con los presupuestos y plazos detallados al inicio de este análisis, de la siguiente manera:

Para establecer el porcentaje de costos administrativos, deberemos primeramente llevar a cabo una sumatoria de los valores detallados en dicha sección, la cual deberemos relacionarla con los 12 meses del año y con la capacidad constructiva de la empresa.

Por contraparte, los costos indirectos de la obra Requieren de una diferenciación respecto a los valores mensuales que se habrán de presentar periódicamente durante el tiempo de ejecución de esta, y los valores que se presentarán por una única vez. Al igual que el apartado anterior, la sumatoria de estos valores se relacionará con el costo directo de la obra que fue establecido al inicio del estudio presupuestario y el plazo para el mismo.

Tanto el costo administrativo como los costos indirectos de la obra, representan un valor porcentual que nos permiten realizar ciertos análisis respecto a la carga de trabajo que tiene nuestro personal.

Se considera como valor promedio adecuado, los valores cercanos al 5% en cada una de estas secciones. Un porcentaje muy por encima de este valor puede evidenciar el exceso de personal asignado a las tareas, mientras que un valor por debajo puede evidenciar un exceso de trabajo sobre el personal.

Los costos porcentuales del proyecto representan la sumatoria de dichos valores expresados directamente en un porcentaje respecto al costo de la obra, por tal motivo, podremos ingresarlos directamente a nuestro análisis sin consideraciones adicionales.

Finalmente, la sumatoria de todos estos porcentajes, constituirá el total de los costos indirectos. En la Tabla 40 se presenta el desarrollo de los cálculos realizados para el ejemplo planteado, así como el detalle de los elementos comúnmente presentes en cada apartado.

Tabla 40: Análisis de Costos Indirectos.

Datos generales:	
A. Presupuesto Anual	$3,500,000.00
B. Costo Directo del Proyecto	$650,000.00
C. Plazo del Proyecto (Meses)	7.0

D. Costos Administrativos

1. Amortización y Alquileres			
Concepto	Costo Mensual	Cantidad	Total
Oficina	300	1	300
Bodega	80	1	80
Vehículos	1061.75	2	2123.5
Equipos Electrónicos	25	10	250
		Total	2753.5

2. Servicios			
Concepto	Costo Mensual	Cantidad	Total
Agua	15	1	15
Electricidad	50	1	50
Líneas Telefónicas	27	6	162
Internet	30	3	90
		Total	317

3. Sueldos			
Concepto	Costo Mensual	Cantidad	Total
Secretarías	500	2	1000
Recepción	400	1	400
Mensajería	400	1	400
Gerencia	1200	1	1200
Jefaturas Departamentales	900	3	2700
Dibujantes	400	4	1600

Legal	300	1	300
Contabilidad	600	2	1200
		Total	8800

4. Gastos de Oficina y Personal

Concepto	Costo Mensual	Cantidad	Total
Papelería	40	1	40
Impresiones	150	1	150
Artículos de Oficina	50	1	50
Artículos de Limpieza	15	1	15
Limpieza	80	1	80
Agasajos	30	1	30
Gratificaciones	50	1	50
Publicidad	100	1	100
Suscripciones	10	1	10
		Total	525

5. Impuestos y Gestión

Concepto	Costo Mensual	Cantidad	Total
Impuesto a la Renta	866	1	866
Entidades Reguladoras	200	1	200
Colegios Profesionales			0
Costos Notariales	300	1	300
Bases de Ofertas y Especificaciones	500	1	500
		Total	1866

6. Seguros

Concepto	Costo Mensual	Cantidad	Total
Inmuebles	400	1	400
Equipos	150	1	150
Personal	100	3	300
		Total	850

E. Costos Indirectos de la Obra
E1. Personal en Obra

Concepto	Costo Mensual	Cantidad	Total
Residencia	900	2	1800
Bodegaje	550	1	550
Seguridad	450	2	900
Transporte del Personal	15	30	450
Alimentación	3	60	180
Gratificaciones	60	1	60
Agasajos	60	1	60
		Total	4000

E2. Gastos Globales del Proyecto

Concepto	Costo	Cantidad	Total
Construcción Provisional (m²)	38	20	760
Equipos de Seguridad	60	30	1800
Gastos de contratación	40	15	600
		Total	3160

F. Costos Porcentuales del Proyecto

Concepto	%
Financiamiento	0.00%
Fiscalización	0.00%
Garantías	0.00%

Imprevistos	3.00%	
Utilidad	8.00%	
Total	11.00%	

Resultados de Costos Indirectos

Concepto	Costo		Valor porcentual
G. Costos Administrativos (Dx12)	$181,338.00	(G/A)	5.18%
H. Costos Indirectos de la Obra (E1xC)+E2	$31,160.00	(H/B)	4.79%
Costos Porcentuales del Proyecto (F)			11.00%
% Costos Indirectos			20.97%

Como podemos observar, si bien los porcentajes pueden variar de acuerdo con el volumen del personal y la capacidad constructiva de la empresa, podemos fácilmente observar que los costos indirectos son proporcionales al grado de desarrollo de esta, es decir, que mientras más grande es una entidad, de mayor personal dispondrá, siendo esto lo que le permite tener una mayor capacidad constructiva.

Por consiguiente, si bien una correcta optimización en los gastos de la empresa puede permitir reducir nuestros costos indirectos, podremos estimar siempre un porcentaje entre el 18 y el 24% para este apartado. Sin embargo, al tratarse de grandes sumas de dinero, es la responsabilidad del constructor el alcanzar la mejor eficiencia posible en la gestión de sus gastos.

Presupuesto general

Una vez concluido el análisis de costos, es siempre conveniente organizar la información de manera que el cliente sea capaz de comprender los datos allí presentados.

Debemos tener en cuenta que, en general, el cliente no tiene ninguna formación técnica que le permita realizar Un análisis profundo de una propuesta de alto nivel, por lo cual, es el deber del presupuestador, el enseñar la información de manera que sea accesible para el público en general.

Al listado de rubros, organizados apropiadamente en sus capítulos correspondientes, que tienen por objetivo el determinar el costo total de la obra, lo denominamos **"Presupuesto General"**. Para la elaboración de este, será indispensable señalar la descripción del rubro, así como la unidad de obra, la cantidad de obra o cómputo de cantidades y el precio unitario calculado para cada rubro. La relación de estos valores nos indicará el precio resultante para las diferentes tareas, por lo que restará únicamente realizar una sumatoria de todos estos parciales, para hallar el presupuesto total de la obra.

Es importante recalcar, como se había ya mencionado en el Capítulo 1, que la lista de rubros debe estar organizada de tal manera que permita dilucidar el proceso lógico que seguirá la obra a fin de ser concluida, de manera que el lector pueda entender el origen de los costos, para solamente después sumergirse en los detalles de los rubros correspondientes.

En la Tabla 41 se presenta un extracto del presupuesto general de un proyecto de vivienda, en el cual se puede observar el detalle del cálculo requerido, a fin de obtener el costo total de cada rubro adjunto al estudio de costos.

Tabla 41: Extracto de presupuesto general.

Descripción	Unidad de obra	Cantidad de obra	Precio unitario	Costo
ESTRUCTURA				
Replantillo hormigon simple f'c=160kg/cm2	m³	2.54	120.52	306.12
Loseta de vereda e=8cm	m³	2.55	56.42	143.87
Contrapiso hormigon simple fc=180kg/cm2	m³	9.36	136.72	1,279.70
Loseta de parqueadero	m³	17.46	120.61	2,105.85
Hormigon simple plintos f'c=210 kg/cm2	m³	24.12	121.27	2,925.03
Hormigon simple cadenas f'c=210 kg/cm2	m³	4.21	131.91	555.34
Hormigon simple columnas f'c=210 kg/cm2	m³	4.68	145.19	679.49
Hormigon simple en vigas f'c=210 kg/cm2	m³	10.04	167.72	1,683.91
Hormigon simple en entrepiso f'c=210 kg/cm2 e=30cm	m³	24.20	99.26	2,402.09
Hormigon simple en losa maciza f'c=210 kg/cm2 e=10cm	m³	4.11	144.06	592.09
Hormigon simple en gradas f'c=210 kg/cm2	m³	1.63	134.43	218.94
Acero de refuerzo 16 mm fy=4200 kg/cm2	Kg	289.00	1.64	473.96

Acero de refuerzo 12 mm fy=4200 kg/cm2	Kg	5,538.00	1.22	6,756.36
Acero de refuerzo 10 mm fy=4200 kg/cm2	Kg	1,547.00	1.73	2,676.31
Acero de refuerzo 8 mm fy=4200 kg/cm2	Kg	6.38	1.18	7.53
MAMPOSTERIAS				
Mamposteria exterior bloque	m^2	162.52	25.62	4,163.76
Mamposteria interior bloque	m^2	145.01	26.44	3,834.06
Mamposteria bordillos bloque	m^2	11.37	31.61	359.41
Acabados				
Ceramica en paredes	m^2	92.80	23.11	2,144.61
Piso flotante madera	m^2	166.60	25.37	4,226.64
Barredera de mdf	m	106.92	6.42	686.43
Recubrimiento exterior de madera	m^2	82.19	74.97	6,161.78
Recubrimiento exterior con mortero decorativo grafiado	m^2	49.19	9.65	474.68
Recubrimiento de madera en escalones	m^2	6.60	49.01	323.22
Pintura interior esmalte	m^2	3.55	5.02	17.57

Al ser el presupuesto general el primer contacto que el cliente realiza con nuestra propuesta, es recomendable acompañarlo de datos clave de uso común que le permitan realizar una comparativa entre las diferentes propuestas que reciba, como por ejemplo, el costo de la construcción por metro cuadrado, el área de construcción, los datos clave del proyecto, imágenes renderizadas, recorridos virtuales del proyecto final, o cualquier dato que nos permita evidenciar las ventajas que ofrecemos por sobre nuestros competidores. Incluso, algunos profesionales realizan un presupuesto referencial, el cual presenta un resumen de los costos por capítulo, de manera que la información presentada al cliente sea la mínima necesaria que le permita explicar su propuesta de servicios.

Lista de materiales y tabla de incidencias

Del estudio de costos realizado, necesitaremos extraer cierta información que, si bien es irrelevante para el cliente, será de extrema utilidad para el presupuestador ya que le permitirá llevar a cabo análisis adicionales.

Del total de insumos presentes en el estudio, el presupuestador requerirá conformar una tabla de resumen por cada una de las categorías, en la cual se presente la sumatoria de la cantidad total de cada componente correspondiente a ella. Es de gran utilidad el uso de tablas dinámicas o herramientas digitales que permitan ejecutar este proceso de manera rápida.

Estas tablas de resumen agrupadas por categorías nos permitirán concentrar nuestros análisis en un tipo de insumo específico, de manera que podamos tomar decisiones al respecto.

Probablemente, la tabla resumen más importante de todas, esté constituida por la lista de materiales, a la cual deberemos detallarla con sus costos y cantidades totales, ya que nos permitirá negociar con los proveedores de acuerdo con el volumen de materiales requerido para el proyecto.

Como se había mencionado en el Capítulo 1, existen insumos que por su alto costo o por su gran volumen, constituyen importantes porcentajes dentro del costo directo de la obra. Los listados de insumos ordenados de acuerdo con este porcentaje se denominan **"Tablas de Incidencia"**.

Para obtener el porcentaje de incidencia de cada insumo de la lista, debemos obtener primeramente el costo total de la categoría, para después relacionar el valor del insumo en cuestión con dicho total.

En la Tabla 42, se presenta un ejemplo de la tabla de incidencia de materiales correspondientes a un estudio de costos realizado para una vivienda. Para dicho estudio, se ha obtenido un presupuesto cercano a los 97000 USD, de los cuales, el costo total de los materiales asciende a un valor de 68000 USD. Haciendo uso de este valor, calcularemos la incidencia de cada uno de los elementos correspondientes. Esta tabla contiene únicamente los elementos que conforman el 20% de insumos de mayor incidencia, de un total de 185 componentes, como se analizó en el Capítulo 1.

Tabla 42: tabla de incidencia de materiales.

Descripcion	Cantidad total	Unidad	Precio	Costo total	% Parcial	% Acumulado
Cemento	63,849.93	Kg	0.15	9577.49	14.08%	14.08%
Acero de refuerzo 12 mm fy=4200 kg/cm2	5,848.00	Kg	1.08	6315.84	9.29%	23.37%
Ventana de aluminio	64.69	m²	70.00	4528.30	6.66%	30.03%
Piso madera flotante 8mm	171.60	m²	21.12	3624.15	5.33%	35.36%
Mesón de mármol (inc. Resina)	18.77	m	145.00	2721.36	4.00%	39.36%
Bloque alivianado 15x20x40	5,530.33	U	0.32	1769.71	2.60%	41.97%
Acero de refuerzo 10 mm fy=4200 kg/cm2	1,624.35	Kg	1.08	1754.30	2.58%	44.55%
Tubería conduit emt 1/2"	415.06	m	4.09	1697.60	2.50%	47.04%
Pasamanos acero inoxidable h= 0.90m	19.48	m	76.61	1492.36	2.19%	49.24%
Muebles modulares de cocina	10.15	m	146.50	1486.98	2.19%	51.42%
Puerta tamborada 80x210 (con marco y tapa marcos)	10.00	U	143.08	1430.80	2.10%	53.53%
Mueble tipo mampara h=2.5m	9.11	m	150.00	1366.50	2.01%	55.54%
Cable thhn 14	2,248.00	m	0.58	1303.84	1.92%	57.45%

Puerta de aluminio	5.00	U	250.00	1250.00	1.84%	59.29%
Cerámica para paredes	95.58	m²	12.54	1198.62	1.76%	61.06%
Ojo de buey	95.00	U	11.00	1045.00	1.54%	62.59%
Impermeabilizante con láminas asfálticas	161.30	m²	6.38	1029.09	1.51%	64.11%
Mueble bajo de cocina	7.82	m	130.00	1016.60	1.50%	65.60%
Pintura	45.72	Gl	19.15	875.61	1.29%	66.89%
Polvo azul	59.03	m³	14.75	870.63	1.28%	68.17%
Alambre de amarre #18	298.06	Kg	2.90	864.36	1.27%	69.44%
Calentador de agua 16l.	1.00	U	850.00	850.00	1.25%	70.69%
Mueble alto de cocina	6.26	m	130.00	813.28	1.20%	71.89%
Piedra triturada	67.54	M3	11.88	802.43	1.18%	73.07%
Esmalte	33.33	Gl	21.70	723.33	1.06%	74.13%
Arena fina	30.63	M3	21.47	657.55	0.97%	75.10%
Duela seike machimbrada 250x10x1.8m	328.76	m	2.00	657.52	0.97%	76.06%
Bloque alivianado 10x20x40	1,885.13	U	0.29	546.69	0.80%	76.87%
Piedra laja	33.48	m³	16.13	540.10	0.79%	77.66%
Tubería de cobre 1/2"	53.60	m	10.00	536.00	0.79%	78.45%
Tubería de cobre 1"	40.05	m	12.77	511.44	0.75%	79.20%
Porcelanato 50x50 para pisos	45.60	m²	10.81	492.94	0.72%	79.93%
Tuberia conduit emt 1/2"	372.00	m	1.24	461.28	0.68%	80.61%

Como podemos observar, es imperioso el analizar los insumos en relación con su incidencia dentro del proyecto; esto nos ayudará a tomar decisiones estratégicas sobre el uso de diferentes alternativas, además de permitirnos negociar los precios con nuestros proveedores.

Vamos a suponer, que después de analizar la tabla de incidencias de la herramienta eléctrica, concluimos que el costo de rentar un equipo es casi similar al costo de adquisición de este. Podríamos tomar una decisión respecto a la compra de la herramienta, de manera que, incluso después de concluida la obra, podamos seguir haciendo uso de ella.

Este es solamente un sencillo ejemplo que nos permite entender la importancia de analizar el presupuesto de acuerdo con el grado de incidencia de sus insumos, por lo tanto, siempre se recomendará al presupuestador, el ejecutar el análisis estratégico que le permita realizar las inversiones más eficientes posibles.

Conclusiones y Recomendaciones

Como hemos podido observar a lo largo de este libro, la única manera en la que podemos optimizar los costos de un rubro es mediante el análisis detallado de las actividades e insumos que intervienen en él. Deberemos evitar a toda costa, el establecer valores de manera empírica.

Debido a que el tiempo con el que un presupuestador cuenta para ejecutar un estudio de costos es muy limitado, es indispensable que el profesional disponga de una base de datos de rubros que abarque todos los servicios que ofrece, de manera que pueda relacionar rápidamente los costos unitarios con los cómputos de obra solicitados, a fin de que sea capaz de realizar un análisis presupuestario de manera eficiente.

Un requisito clave presente en el presupuestador exitoso, está constituido por su listado de insumos siempre actualizados. Esto le permitirá ejecutar un estudio de costos confiable y rápido.

Vinculado con estas bases de datos de rubros e insumos, es necesario también, que el presupuestador almacene datos históricos de las obras ejecutadas. Como lo hemos analizado a lo largo de los capítulos anteriores, los datos históricos nos permiten establecer los costos promedio de una manera mucho más coherente a nuestra propia actividad profesional, de manera que, con el paso del tiempo, podremos ir optimizando nuestros gastos y seremos capaces de realizar comparaciones cada vez más acertadas.

Una máxima del mundo del marketing afirma que, lo que no se puede medir, no se puede mejorar; por lo mismo, almacenar y analizar los datos de nuestra actividad profesional nos permitirá estudiar nuestro propio desempeño.

además, es indispensable que el presupuestador esté muy vinculado a la actividad constructiva, debido a que es necesario que esté al tanto de las metodologías requeridas para ejecutar los rubros. Este conocimiento y experiencia le permitirá optimizar sus procesos de cálculo presupuestario, logrando así alcanzar márgenes de error cada vez menores.

Debido a la volatilidad presente en la industria de la construcción, es normal que se requieran realizar cambios a lo largo de todo el análisis de costos y el desarrollo de las obras, por lo que se recomienda siempre el uso de herramientas digitales especializadas en el cálculo presupuestario que nos permitan modificar los valores de manera eficiente.

Finalmente, es indispensable que, como presupuestadores, tengamos los conocimientos suficientes para ejecutar el proceso de cómputo de cantidades de obra de manera correcta. Si bien es necesario que seamos capaces de calcular el costo de un rubro, deberemos estar igualmente capacitados para definir la cantidad requerida de dicho rubro.

En entregas complementarias a este libro, estaremos analizando los procesos de cómputo de cantidades de obra, con el objeto de que el presupuestador con menor experiencia aprenda a realizar los cómputos de manera técnica, de manera que este pueda establecer con total seguridad no solamente los rubros que deberá incluir en un presupuesto de obra, sino también los volúmenes requeridos para los mismos.

El desarrollo de este libro ha sido inspirado en la necesidad de los profesionales que requieren introducirse de manera rápida en el análisis presupuestario, por lo cual, se ha buscado compartir los conocimientos y experiencias que le permitan abordar de manera íntegra el análisis de costos en la construcción.

Estamos muy agradecidos con los lectores que han puesto su confianza en nuestras manos. Esperamos encontrarnos en futuras entregas.

Sobre el autor

Carlos Hidalgo P. Arquitecto y constructor que, durante sus más de 10 años de ejercicio profesional, se ha especializado en el estudio presupuestario para proyectos de construcción y el diseño arquitectónico.

Sus aportaciones en proyectos de toda envergadura le han permitido obtener una profunda comprensión sobre la manera más eficiente de llevar a cabo un estudio de costos, con lo cual, ha ido optimizando sus procesos de cálculo, los cuales comparte a lo largo de sus libros.

Cofundador de CityPlans.net, una startup dedicada al desarrollo de herramientas digitales para el análisis presupuestario, busca plasmar sus metodologías de estudio de costos en aplicaciones sencillas de usar y que faciliten el trabajo de los constructores.

Sus labores también en los campos del marketing y el copywriting le han dotado de la capacidad para explicar conceptos de manera sencilla, por lo que sus obras no se restringen únicamente al lector técnico, logrando que estudiantes y profesionales jóvenes puedan introducirse rápidamente al apasionante mundo de la presupuestación.

Más Publicaciones del Autor

El análisis de precios unitarios es un pilar del estudio de costos que trabaja de manera conjunta con el cómputo de cantidades para presupuestos de obra. Por esto, el Arq. Carlos Hidalgo ha publicado una serie de libros que te permitirán dominar estas disciplinas y ponerlas en práctica de manera rápida.

En el libro *Cómputo de Cantidades para Presupuestos de Obra*, el autor detalla un amplio listado de los rubros que necesitas incluir en tus análisis presupuestarios, acompañados de sus características, unidades de obra, planillas de cómputo y la metodología con la cual se deben contabilizar; de manera que puedas aplicar estos conocimientos de inmediato a tus estudios de costos. Puedes acceder al libro mediante el siguiente enlace:

https://mybook.to/computoobraebook

Además, en el libro *Calculando un presupuesto de obra con Budgets*, encontrarás un detallado manual de usuario de la calculadora de presupuestos Budgets by CityPlans.net, en donde el autor explica el funcionamiento de cada una de las características de esta poderosa herramienta, la cual sobresale por su facilidad de uso y su versatilidad de cálculo, ideal para que pongas en práctica tus nuevos conocimientos de presupuestación. Puedes acceder a este libro mediante el siguiente enlace:

https://cityplans.net/guias-y-libros/

Son realmente escasos los profesionales con conocimientos tanto sobre el análisis de precios unitarios como sobre el cómputo de cantidades y que además, son capaces de aplicar correctamente estos conceptos en un presupuesto de obra, por lo que son altamente demandados en la industria de la construcción. ¡No te quedes atrás!

Made in the USA
Las Vegas, NV
07 January 2025

15972845R00105